CÓMO ENSEÑAR
A LEER
A SU
BEBÉ

Glenn Doman

CÓMO ENSEÑAR A LEER A SU BEBÉ

EDITORIAL DIANA

MEXICO

LOS INSTITUTOS PARA EL LOGRO DEL POTENCIAL HUMANO
Oficina Hispano-América, A.C.

- En el D.F.:
  Teléfono: 56-32-25-70, Fax: 56-32-25-71
  E-mail: mexicocity@iahp.org
- En Aguascalientes, Ags.:
  Guadalupe González # 101, Col. U. Ganadera,
  Aguascalientes, Aguascalientes, C.P. 20130
  Teléfono (449) 9960944, Fax (449) 9960945
  E-mail: hispanoamerica@iahp.org

El autor desea agradecer a los siguientes editores su autorización para reproducir fragmentos de material con derechos reservados:
Newsweek. Vol. LXI, núm. 19, 13 de mayo de 1963, p. 63.
The Bobbs-Merrill Company, Inc., por extractos de *Natural Education*, de Winifred Sackville Stoner. Copyright © 1914 por The Bobbs-Merrill Company, ©1942 por Winifred Stoner Gordon.
Stanford University Press, por extractos de *The Promise of Youth: Follow-up Studies of a Thousand Children, Genetic Studies of Genius*, Volumen III, de Barbara Stoddard Burks, Dortha Williams Jensen y Lewis M. Terman. Stanford, Stanford University Press, 1930, pp. 248-250.
Harvard University Press por cita breve de *La República* de Platón, traducida por Paul Shorey. The Loeb Classical Library, Harvard University Press, p. 624
Saturday Review, por extractos del artículo de John Ciardi "When Do They Know Too Much?", 11 de mayo de 1963.

Título original: *How to Teach your Baby to Read*
Traducción: The Institutes for the Achievement of Human Potencial

Fotografía de portada: Barbara Montgomery (del Evan Thomas Institute) con su hija Remy
Fotógrafo: Stan Schnier

Primera edición: octubre de 1991
Vigésima primera impresión: diciembre de 2006
ISBN: 968-13-2198-7

Impreso en los talleres de Impresora y Encuadernadora Nuevo Milenio, S.A. de C.V.
Calle Rosa Blanca núm. 12, colonia Ampliación Santiago
Acahualtepec, México D.F.
Impreso y hecho en México – *Printed and made in Mexico*

Dedico respetuosamente este libro a mi esposa, Hazel Doman, quien, con la colaboración de las madres de cientos de pequeños de dos a tres años de edad con lesión cerebral, ha logrado que éstos gocen del placer de la lectura.

También lo dedico a
  Samuel Henshaw
  A. Vinton Clarke
  Temple Fay
  Jay Cooke
cada uno de los cuales hizo posible la realización de este libro y los cuatro dejaron su huella en el mundo que recorrieron y profundas impresiones en nuestras mentes y en nuestros corazones.

Otras obras del autor

Serie la Revolución pacífica:
Qué hacer con su niño con lesión cerebral
Cómo enseñar a su bebé conocimientos enciclopédicos
Cómo enseñar a su bebé a ser físicamente excelente
Cómo enseñar matemáticas a su bebé

Contenido

Unas palabras del autor acerca de esta nueva edición

Este libro vio la luz primera en 1964. Desde entonces se han vendido dos millones de ejemplares en veinte idiomas y muchos más están por salir al mercado. Todo lo que dijimos en esa edición original nos parece tan cierto como hace un cuarto de siglo.

Solamente una cosa ha cambiado.

Hoy en día ya hay miles de niños, desde bebés hasta adolescentes, que aprendieron a leer a edad temprana con la ayuda de este libro. Como resultado, millones de madres nos han escrito para describirnos el placer, la alegría y la emoción que experimentaron el enseñar a leer a sus bebés. Nos han contado sus experiencias, su regocijo y sus frustraciones esporádicas. Han descrito sus éxitos y sus innovaciones. Han hecho muchísimas preguntas con gran sentido.

Estas cien mil cartas contienen el tesoro de un conocimiento inapreciable y una gran comprensión de los pequeños.

También constituyen la mayor prueba de la historia de que los bebés pueden aprender a leer, deben aprender a leer, están aprendiendo a leer y, lo más importante de todo, explica qué les sucede cuando van a la escuela y cuando crecen.

Estos invaluables conocimientos hicieron que la presente edición no fuese únicamente importante, sino vital para una nueva generación de padres y para los cuales las vidas de sus hijos tienen suma importancia.

El Capítulo 7 ha cambiado significativamente, no en el sentido de negar los principios expuestos anteriormente, sino en el de perfeccionarlos a la luz de la vasta experiencia que miles de padres han vivido al seguirlos.

El Capítulo 8 es totalmente nuevo y detalla de manera precisa cómo iniciar a los bebés en cada una de las etapas significativas, a saber: de recién nacido, de bebé, y en los primeros años de su infancia. Enumera los puntos fuertes y los débiles de cada una de estas etapas e indica cómo aprovechar las facultades e impedir que los puntos flacos constituyan un obstáculo.

El Capítulo 9 también es completamente nuevo y responde a las dos preguntas más frecuentes sobre la enseñanza de la lectura a los bebés:

1. "¿Qué les sucede cuando van a la escuela?"
2. "¿Qué les sucede cuando crecen?"

La mayoría de los padres hacen estas preguntas con alegría, y unos pocos con tristeza. He aquí las respuestas dadas a estas preguntas por los propios padres. No se refieren a los bebés y a sus problemas de manera teórica (como hacen los profesionales), sino que tratan de oportunidades muy reales brindadas a bebés muy reales por padres reales y excelentes.

Si, después de todo este tiempo y este cúmulo de experiencias, un padre pidiese un consejo breve e importante, este consejo sería:

Hágalo con alegría, con la ligereza del viento, y sin poner a prueba a su niño.

Prólogo

Iniciar un proyecto de investigación clínica es como abordar un tren con destino desconocido: Está lleno de misterio y de emoción pero nunca se sabe si se tendrá un boleto de primera o si se viajará en tercera clase, si el tren tiene vagón comedor o no, si el viaje costará poco o toda una fortuna y, sobre todo, si terminará donde uno se lo propuso o en un lugar desconocido que nunca soñó visitar.

Cuando los miembros de nuestro equipo fueron abordando este tren en diversas estaciones, esperábamos que nuestro destino fuese un tratamiento mejor para niños con lesión cerebral severa. Ninguno de nosotros soñó que si lográbamos esta meta, permaneceríamos en este tren hasta que llegásemos a un lugar en el que los niños con lesión cerebral pudiesen ser superiores que los niños sin ella.

Hasta ahora, el viaje ha durado veinte años siempre en tercera clase; en el vagón comedor han servido casi siempre emparedados noche tras noche, con frecuencia a las tres de la madrugada. Los boletos nos han costado toda nuestra fortuna, algunos no vivieron lo suficiente para terminar el viaje y ninguno se lo hubiese perdido por nada en el mundo. Ha sido un viaje fascinante.

La lista original de pasajeros incluía a un neurocirujano, un fisiatra (médico que se especializa en medicina física y en rehabilitación), un fisioterapeuta, un foniatra, un psicólogo, un educador y una enfermera. Ahora somos en total más de cien, con muchas clases más de especialistas.

El pequeño equipo se formó originalmente porque cada uno de nosotros estaba a cargo de una fase del tratamiento de niños con lesión cerebral severa, y todos estábamos estancados.

Si uno elige un campo creativo en el cual trabajar, es difícil escoger uno con más posibilidades de desarrollo que aquel en el que el fracaso ha sido del cien por ciento y el éxito nulo.

Cuando iniciamos nuestro trabajo juntos hace veinte años, *nunca habíamos visto o sabido de un solo niño con lesión cerebral que se hubiese rehabilitado*.

El grupo que se formó después de nuestros fracasos individuales, hoy se llamaría equipo de rehabilitación. En aquellos días, hace ya tantos años, ese término no se usaba y no nos considerábamos tan importantes. Tal vez nos veíamos más modesta y claramente como personas que se habían reunido, como sucede en un convoy, esperando ser mejores juntas que separadas.

Empezamos por atacar el problema fundamental que enfrentaron quienes trataban a niños con lesión cerebral hace dos décadas. Este problema era identificarlos.

Había tres clases muy diferentes de niños que siempre confundíamos en una sola. El hecho es que eran tan distintos como el agua y el fuego. En aquellos días los confundíamos (y, trágicamente, aún los confunden en gran parte del mundo) por el mero hecho de que con frecuencia se parecen y a veces actúan de maneras semejantes.

Las tres clases de niños que por lo general se agrupaban en una eran: los deficientes, con inteligencia cualitativa y cuantitativamente inferiores; los psicóticos, con cerebros físicamente *normales* pero con mentes enfermas y, por último, los niños con verdaderas lesiones cerebrales, niños inteligentes cuyo cerebro había sufrido un daño físico.

Sólo nos preocupaba la última clase de niños, los que habían sufrido lesiones en cerebros del todo sanos en el momento de la concepción. Aprendimos que aunque los niños con verdadera deficiencia mental y los verdaderamente psicóticos eran pocos en comparación, millones eran y son diagnosticados como deficientes mentales o psicóticos, cuando de hecho eran niños con lesión cerebral. Por lo general se diagnosticaba mal porque muchos de los niños con lesión cerebral la sufrían desde antes de nacer.

Cuando, después de muchos años de trabajo en el quirófano y al lado de las camas, aprendimos cuáles niños sufrían de veras lesión cerebral, pudimos empezar a atacar el problema en sí: el cerebro dañado.

Descubrimos que importaba muy poco (salvo desde el punto de vista de la investigación) si un bebé había sufrido la lesión antes de nacer, en el momento de ver la luz o después de nacer. Esto era tanto como preocuparse porque un niño hubiese sido golpeado por un automóvil antes del medio día o a las doce en punto. Lo que importaba era qué parte de su cerebro estaba dañada, cuánto se había dañado y qué podía hacerse para recuperarla.

Más aún, descubrimos que no era muy importante si el cerebro del niño se había dañado porque sus padres tuviesen el factor RH incompatible; porque la madre hubiese padecido una enfermedad infecciosa como la rubeola durante los primeros tres meses del embarazo; porque el cerebro del niño hubiese recibido poco oxígeno durante el periodo prenatal, o porque hubiese nacido prematuramente. El cerebro también puede ser dañado por un parto prolongado; por una caída de cabeza a los dos meses de edad, que forma coágulos en el cerebro; por fiebre muy alta a causa de una encefalitis a los tres años de edad, o por cientos de factores más.

De nuevo, si bien esto era significativo desde el punto de vista de la investigación, era tanto como preocuparse por saber si el niño había sido golpeado por un automóvil o con un martillo. En este caso lo importante era saber qué parte del cerebro de la criatura estaba dañada, cuánto y qué haríamos al respecto.

En aquellos días, quienes se ocupaban de los niños con lesión cerebral opinaban que los problemas de estas criaturas tal vez podrían solucionarse tratando los síntomas que se manifestaban en los oídos, los ojos, la nariz, la boca, el tórax, los hombros, los codos, las muñecas, las caderas, las rodillas, los tobillos y los dedos de las manos y de los pies. Muchos todavía lo creen. Esto no funcionó entonces, ni podía haber funcionado.

Debido a esa falta total de éxito, concluimos que si íbamos a resolver la infinidad de síntomas de los niños con lesión cerebral, tendríamos que atacar la fuente del problema y enfocarnos al cerebro humano en sí.

Si bien al principio ésta parecía una tarea imposible o por lo menos gigantesca, durante los años siguientes otras personas y nosotros encontramos métodos quirúrgicos y no quirúrgicos para dar tratamiento al cerebro.

Sosteníamos la firme creencia de que tratar los síntomas de una enfermedad o lesión, y esperar que la enfermedad desapareciese, carecía de fundamento médico, científico y racional; y si todas estas razones fuesen insuficientes para que abandonásemos dicho procedimiento, entonces quedaba el hecho elemental de que los niños con lesión cerebral tratados de esa manera nunca sanaban.

En cambio, sentíamos que al poder atacar el origen del problema, los síntomas desaparecerían espontáneamente, en la medida de nuestro éxito al tratar la lesión en el cerebro mismo.

Primero abordamos el problema desde un punto de vista no quirúrgico. Durante los años siguientes nos convencimos de que si había esperanzas de curar el cerebro lesionado, tendríamos que encontrar la forma de reproducir de alguna manera los modelos de crecimiento neurológico de un niño sano. Ello implicaba comprender cómo se origina, crece y madura un cerebro sano. Estudiamos atentamente a cientos de recién nacidos, infantes y bebés sanos. Los estudiamos con sumo cuidado.

Conforme aprendíamos lo que era y significaba el crecimiento de un cerebro normal, empezamos a descubrir que actividades sencillas y conocidas de los bebés sanos, como arrastrarse y gatear, son de la máxima importancia para el cerebro, que si dichas actividades se les niegan por factores culturales, ambientales o sociales, su potencial se ve gravemente limitado. El potencial de los bebés con lesión cerebral se afecta más aún.

A medida que aprendíamos más sobre las maneras de reproducir este modelo físico de crecimiento normal, empezamos a ver mejoría, si bien muy poca, en bebés con lesión cerebral.

Por esta época, el personal neurocirujano de nuestro equipo empezó a comprobar sin lugar a duda que la respuesta estaba en el cerebro mismo, al desarrollar tratamientos quirúrgicos acertados. Había niños con cierta clase de lesión cerebral cuyos problemas eran de naturaleza progresiva, y, como consecuencia de ello, morían prematuramente, sobre todo los niños hidrocefálicos, con "agua en el cerebro", desarrollaban cabezas enormes, debido a la presión del fluido encefalorraquídeo que no se reabsorbía de manera normal a causa de sus lesiones. Sin embargo, el fluido sí se seguía produciendo como en las personas normales.

Nadie había sido tan tonto como para tratar de curar los síntomas de esta enfermedad con masajes, ejercicios o aparatos. Conforme aumentaba la presión en el cerebro, estos niños morían invariablemente. Nuestro neurocirujano, trabajando con un ingeniero, inventó un tubo que llevaba el exceso de fluido encefalorraquídeo desde los depósitos llamados ventrículos y ubicados dentro del cerebro, hasta la vena yugular, y por lo tanto, al flujo sanguíneo donde podía ser reabsorbido de manera normal. Este tubo contenía una ingeniosa válvula que permitía extraer el exceso de fluido al mismo tiempo que evitaba el flujo indebido de sangre hacia el cerebro.

Este dispositivo casi mágico era implantado quirúrgicamente en el cerebro y se llamaba "derivación V-Y".* Existen ahora veinte mil niños en el mundo que no hubiesen vivido si no fuese por este sencillo aparato; muchos hacen vidas totalmente normales y van a la escuela con niños sanos.

Aquello fue una magnífica prueba de la completa inutilidad de atacar los síntomas de la lesión cerebral; así como de la lógica contundente y de la necesidad de tratar la lesión cerebral en sí.

Otro método sorprendente servirá como ejemplo de las múltiples clases de neurocirugía cerebral satisfactoria que se realizan ahora para resolver los problemas de los niños con lesión cerebral.

De hecho tenemos dos cerebros, el derecho y el izquierdo. Se dividen exactamente en la mitad de la cabeza, desde la parte anterior hasta la posterior. En las personas sanas, el cerebro derecho (o, si se prefiere, la mitad derecha del cerebro) controla el lado izquierdo del cuerpo, mientras que la mitad izquierda del cerebro controla el lado derecho.

Si se daña una mitad del cerebro en cualquier grado importante, los resultados son catastróficos. El lado opuesto del cuerpo se paraliza y las funciones del niño se obstaculizan peligrosamente. Muchos de estos niños padecen a menudo graves ataques convulsivos que no responden a ningún medicamento conocido.

Sobra decir que estos niños también mueren.

El antiguo lamento de aquellos que opinaban que nada se podía hacer fue repetido una y otra vez durante décadas.

"Cuando muere una célula cerebral, muere irremediablemente y nada se puede hacer en estos casos, así es que ni lo intente." Pero ya en 1955 los miembros de nuestro grupo de neurocirujanos estaban realizando en estos

---

* V-Y o ventrículo-yugular. En inglés es V-J (*ventricle-jugular*). (Nota del editor.)

niños un tipo de cirugía casi increíble: se llama hemisferectomía.

La hemisferectomía es exactamente lo que el nombre
indica: la extracción quirúrgica de la mitad del cerebro
humano.

Ahora bien: habíamos visto niños con una mitad del
cerebro en la cabeza y con la otra mitad (billones de células cerebrales muertas) en un frasco en el hospital, pero
los niños no habían muerto.

No. Veíamos niños con sólo la mitad del cerebro que
caminaban, hablaban e iban a la escuela como cualquier
otro niño. Varios tenían una inteligencia superior al promedio, y por lo menos uno tenía un C.I. de genio.

Ahora era evidente que si la mitad del cerebro de un
niño estaba gravemente dañada, no se curaría aunque la
otra mitad estuviese sana, mientras la dañada permane-
ciese allí. Si, por ejemplo, dicho niño sufría convulsiones
causadas por el cerebro izquierdo lesionado, no podría
demostrar su función ni su inteligencia hasta que esa mitad le fuese extraída para dejar que el cerebro derecho
intacto asumiese todas las funciones sin interferencia.

Durante mucho tiempo habíamos sostenido, contra la
creencia popular, que un niño puede tener diez células
cerebrales muertas sin que nos enteremos. Tal vez, decíamos, pueda tener cien células cerebrales muertas y no nos
damos cuenta. Tal vez, comentábamos, incluso mil. Ni en
nuestros sueños más locos nos atrevimos a creer que un
niño podía tener millones de células cerebrales muertas y
desempeñarse tan bien como un niño normal, y a veces
mejor.

Ahora el lector debe especular con nosotros. Durante
cuánto tiempo podríamos ver a Juanito, a quien se le ha
extraído la mitad del cerebro, funcionar tan bien como
Memito, quien tiene el cerebro intacto, sin preguntarnos:
¿Qué le pasa a Memito? ¿Por qué Memito, que tiene dos
veces más cerebro que Juanito, no funciona doblemente
mejor, o por lo menos, mejor?

Al ver que esto sucedía una y otra vez, empezamos a observar a los niños normales y a hacernos preguntas.

¿Estaban funcionando tan bien como debían los niños normales? He aquí una pregunta que nunca habíamos pensado hacernos.

Mientras tanto, los miembros no cirujanos de nuestro equipo habían adquirido mucho mayor conocimiento sobre cómo crecen y se desarrollan los cerebros de dichos niños. Conforme aumentaba nuestro conocimiento sobre la normalidad, nuestros métodos sencillos para reproducir esa normalidad en los niños con lesión cerebral conservó su ritmo. Para entonces estábamos empezando a ver que un pequeño número de niños con lesión cerebral alcanzaba la normalidad con la práctica de sencillos métodos de tratamiento no quirúrgicos, que constantemente evolucionaban y mejoraban.

No es la finalidad de este libro detallar los conceptos ni los métodos utilizados para resolver los múltiples problemas de los niños con lesión cerebral. Otros libros, ya publicados o actualmente en preparación, analizan el tratamiento de los niños con lesión cerebral. Sin embargo, el hecho de que se resuelvan cotidianamente es significativo para comprender el camino que nos llevó al conocimiento de que los niños sanos pueden funcionar infinitamente mejor de como funcionan. Basta decir que se aplicaron a los niños con lesión cerebral técnicas sumamente sencillas para reproducir los modelos del desarrollo normal. Por ejemplo, cuando una criatura con lesión cerebral no se puede mover correctamente, se le conduce, en una secuencia progresiva, por las etapas del crecimiento que siguen las criaturas sanas. Primero se le ayuda a mover los brazos y las piernas, después a gatear, luego a trepar y finalmente a caminar. Se le ayuda físicamente a practicar estas acciones en una secuencia planeada. Avanza por estas etapas, siempre progresivas, de la misma manera que un niño sigue los grados escolares, y se le proporcionan infinitas oportunidades para que practique estas actividades.

Pronto empezamos a ver niños con lesiones cerebrales graves cuyo funcionamiento era como el de criaturas que no habían sufrido esas lesiones.

Conforme mejoraban estas técnicas, empezamos a ver niños con lesión cerebral que no únicamente funcionaban tan bien como los niños sanos sino que, de hecho, no se distinguían de ellos.

Conforme nuestra comprensión del crecimiento neurológico y de la normalidad empezaba a perfilar un modelo verdaderamente claro, y conforme los métodos para el resumen de la normalidad se multiplicaban, empezamos a ver criaturas con lesión cerebral que funcionaban mejor que las del nivel promedio, o mejor aun que las de los niveles superiores.

Fue de lo más emocionante: fue hasta un poco atemorizador. Parecía evidente que habíamos tasado en menos el potencial de todos los niños.

De aquí surgió una pregunta fascinante. Supongamos que observamos a tres pequeños de siete años: Alberto, cuya mitad del cerebro está en un frasco; Memito, con un cerebro completamente normal; y Carlitos, que ha recibido un tratamiento no quirúrgico y ahora funciona de manera totalmente normal, aunque todavía tiene millones de células muertas en el cerebro.

Alberto, sin la mitad del cerebro, es tan inteligente como Memito, lo mismo que Carlitos, con millones de células muertas en el cerebro.

¿Qué de malo le pasa al simpático y sano Memito que tiene una inteligencia normal?

¿Qué tienen de malo los niños sanos?

Durante años, nuestro trabajo ha estado cargado de la emoción que se siente antes de los sucesos importantes y de los grandes descubrimientos. A lo largo de los años la espesa niebla del misterio que rodeaba a nuestros niños con lesión cerebral se había ido disipando. También empezamos a ver otros hechos que no habíamos buscado. Eran hechos sobre los niños sanos. Una conexión lógica había surgido entre el niño con una lesión cerebral (y, por tanto, neurológicamente desorganizado) y el niño sano (y, por lo tanto, neurológicamente organizado), donde anteriormente sólo había hechos inconexos y disociados sobre los niños sanos. Esa secuencia lógica, conforme surgía, señalaba insistentemente el camino por el cual podríamos cambiar significativamente al ser humano en sí y para bien. ¿Era la organización neurológica mostrada por una criatura dentro del promedio necesariamente el final de la ruta?

Ahora que teníamos a niños con lesión cerebral funcionando tan bien, o mejor que los niños normales, la posibilidad de que el camino se ampliara más aún, se podía ver claramente.

Siempre se había supuesto que el crecimiento neurológico y su producto final, la habilidad, eran un hecho estático e irrevocable: Este niño era hábil y aquél no. Este niño era inteligente y aquél no.

Nada podía estar más lejos de la verdad.

La verdad es que el crecimiento neurológico, que siempre habíamos considerado como un hecho estático e irrevocable, es un proceso dinámico siempre cambiante.

En el niño con lesión cerebral grave vemos el proceso del desarrollo neurológico completamente obstruido.

En el niño "retrasado" vemos el proceso del desarrollo neurológico sumamente lento. En la criatura normal se realiza a ritmo normal, y en la criatura superior, a una velocidad superior. Ahora nos dábamos cuenta de que el niño con lesión cerebral, el niño promedio y el niño superior no son niños de tres clases diferentes, sino que representan un rango continuo, en sentido matemático, que va desde la extrema desorganización neurológica provocada por una lesión cerebral severa, pasando por la desorganización moderada provocada por una lesión cerebral moderada o leve y el grado de organización neurológica promedio que muestra un niño normal hasta un alto grado de organización neurológica, como lo demuestra invariablemente un niño superior.

En el niño con lesión cerebral grave habíamos tenido éxito al reiniciar este proceso que se había obstruido; y en el niño "retrasado" lo habíamos acelerado.

Tras lograr repetidamente que los niños con lesión cerebral grave y desorganización neurológica tuvieran una organización neurológica normal o incluso superior mediante las sencillas técnicas no quirúrgicas que habíamos implantado, teníamos sobradas razones para creer que estas mismas técnicas podían servir para mejorar la organización neurológica de los niños normales. Una de estas técnicas consiste en enseñar a leer a bebés con lesiones cerebrales.

Nunca se pone más de manifiesto la capacidad de aumentar la organización neurológica que cuando uno enseña a un bebé sano a leer.

Nota a los padres

Leer es una de las funciones más elevadas del cerebro humano: de todos los seres del mundo, únicamente las personas pueden leer.

Leer es una de las funciones más importantes de la vida, dado que de hecho todo aprendizaje se basa en la habilidad para leer.

Es verdaderamente sorprendente que hayamos tardado tantos años en darnos cuenta de que entre más pequeño aprende a leer un niño, más fácilmente y mejor leerá.

Los niños pueden leer palabras cuando tienen un año de edad, oraciones cuando tienen dos, y un libro entero cuando tienen tres: y les encanta.

Nos tomó mucho tiempo darnos cuenta de que poseen esta capacidad y de por qué la tienen.

De hecho, en los Institutos empezamos a enseñar a leer a bebés a partir de 1961. Pero llegar a comprender cómo funciona el cerebro humano (comprensión necesaria para indicar que esta posibilidad era realizable), le tomó veinte años a todo un equipo de especialistas.

El equipo de pediatras evolucionistas, médicos, educadores, alfabetizadores, neurocirujanos y psicólogos había empezado el trabajo con niños con lesión cerebral y esto los condujo a muchos años de estudio sobre el desarrollo del cerebro de un niño sano. Esto, a su vez, produjo información nueva y sorprendente sobre cómo aprenden los niños, qué niños aprenden y qué *pueden* aprender.

Cuando el equipo vio leer a muchos niños con lesión cerebral, y leer bien, a los tres años de edad y aun antes, fue evidente que algo estaba mal con lo que le sucedía a los niños sanos. Este libro es uno de los resultados de lo que descubrimos.

Lo que este libro expresa es precisamente lo que hemos estado diciendo a los padres de niños lesionados y sanos a partir de 1961. Los resultados de comunicárselo han sido sumamente satisfactorios, tanto para los padres como para los niños y para nosotros.

Este libro fue escrito por la insistencia de estos padres, que querían en un libro lo que les habíamos dicho de palabra, para su uso y el de otros padres.

1
La historia de Tommy

Les he estado diciendo que él puede leer.

—EL SEÑOR LUNSKI

Esta revolución pacífica empezó de manera espontánea. Lo raro es que, al final, surgió accidentalmente.

Los niños, que *son* los revolucionarios pacíficos, no sabían que podían leer si se les daban los medios, y los adultos de la industria televisiva, quienes finalmente se los proporcionaron, tampoco sabían que los niños tenían esa capacidad, ni que la televisión les daría los medios que provocarían la revolución pacífica.

La falta de medios es la razón de que tardara tanto tiempo en ocurrir, pero ahora que ha sucedido nosotros, los padres, debemos convertirnos en cómplices e impulsar esta magnífica revolución, no para hacerla menos pacífica, sino para lograr que sea más rápida, de manera que los niños puedan cosechar sus frutos.

Realmente sorprende que el secreto no haya sido descubierto por los niños desde hace mucho. Es asombroso que ellos, con toda su inteligencia (pues son realmente brillantes) no lo hubiesen comprendido.

La única razón que algún adulto no le hubiera dicho el secreto a los niños de dos años, es que los adultos tampoco lo sabíamos. Por supuesto, si lo hubiésemos sabido, nunca hubiéramos permitido que permaneciera como secreto porque es muy importante para los niños y para nosotros también.

El problema es que hemos hecho la letra impresa demasiado pequeña.

El problema es que hemos hecho la letra impresa demasiado pequeña.

El problema es que hemos hecho la letra impresa demasiado pequeña.

El problema es que hemos hecho la letra impresa demasiado pequeña.

También es posible hacer la letra demasiado pequeña para que el complejo canal del adulto (que incluye al cerebro) no pueda leerla.

Es casi imposible hacer la impresión demasiado grande para leerla, pero es posible hacerla demasiado pequeña, y así exactamente lo hemos hecho.

El canal visual inmaduro (que va desde el ojo hasta las zonas visuales del cerebro en sí) de los niños de uno, dos o tres años de edad, no puede diferenciar una palabra de otra.

Pero ahora como hemos dicho, la televisión ha divulgado el secreto a través de los comerciales. El resultado es que cuando el señor de la televisión dice *Golfo, Golfo, Golfo* con voz alta, amable y clara, y la pantalla del televisor muestra la palabra **GOLFO** con letras bonitas, grandes y claras, los niños aprenden a reconocer la palabra y ni siquiera saben el alfabeto.

La verdad es que los bebés pueden aprender a leer. Con seguridad podemos afirmar que los bebés pueden leer, siempre y cuando, al principio, las letras sean muy grandes.

Pero ahora ya sabemos esas dos cosas.

Ahora sabemos que tenemos que hacer algo al respecto, porque lo que sucederá cuando hayamos enseñado a todos los bebés a leer será muy importante para el mundo.

¿Pero, no es más fácil para un bebé comprender la palabra oral que la escrita? De ninguna manera. El cerebro de un bebé, único órgano capaz de aprender, "escucha" las palabras claras y en volumen alto de la televisión a través del oído y las interpreta como solamente el cerebro sabe hacerlo. Al mismo tiempo el cerebro del bebé "ve" las palabras grandes y claras de la televisión a través del ojo y las interpreta exactamente de la misma manera.

Para el cerebro no hay diferencia entre "ver" una forma y "escuchar" un sonido. Puede comprender ambos exactamente con la misma facilidad. Todo lo que se requiere es que los sonidos sean lo suficientemente claros y el volumen lo suficientemente alto para que el oído los escuche; y que las palabras sean lo suficientemente grandes y claras para que el ojo las pueda ver; de manera que el cerebro las pueda interpretar: hemos hecho lo primero, pero no lo segundo.

Probablemente las personas siempre le han hablado a los bebés con voz más alta que a los adultos; y así lo seguimos haciendo, instintivamente, al darnos cuenta de que los bebés no pueden escuchar y comprender al mismo tiempo los tonos que usan siempre los adultos para hablar.

Nadie pensaría en hablarle a un niño de un año con el tono de voz normal: de hecho, les gritamos.

Intente hablar en tono normal a un niño de dos años; lo más probable es que ni lo escuche ni lo comprenda. Es probable que si está de espaldas a usted ni siquiera le preste atención.

Es difícil que lo comprenda un niño de tres años y le preste atención si le habla en el tono de la conversación normal y si en la misma habitación hay sonidos u otra conversación que interfieran.

Todos le hablamos a los bebés en voz alta y entre más pequeños, más alta la voz.

Supongamos que los adultos hubiésemos decidido hace tiempo hablarnos en voz tan baja que ningún niño pudiese escucharnos o comprendernos. Supongamos que esos sonidos tuviesen, sin embargo, el volumen suficiente para que cuando llegase a cumplir los seis años de edad, su canal auditivo madurase lo suficiente para escuchar y comprender sonidos de bajo volumen.

En estas circunstancias, quizá aplicaríamos tests de "capacidad auditiva" a los niños de seis años. Si el resultado fuese que podían "escuchar" pero no comprender las palabras (sin lugar a dudas, ése será el caso, dado que a esa edad su canal auditivo sólo podría distinguir sonidos de bajo volumen) es probable que apenas a estas alturas le empezáramos a enseñar el lenguaje oral, al pronunciar la letra A, y después la B, y así sucesivamente, hasta que se aprendiera el alfabeto, antes de empezar a enseñarle las palabras.

Llegaríamos a la conclusión de que tal vez hubiese muchos niños con problemas en la "audición" de la palabras y las oraciones, y probablemente sería popular un libro titulado *¿Por qué Juanito no puede oír?*

Lo expuesto arriba es exactamente lo que hemos hecho con el lenguaje escrito. Lo hemos hecho demasiado pequeño y los bebés no pueden "ni verlo ni comprenderlo".

Ahora imaginemos otra situación.

Si hubiésemos hablado en murmullos pero al mismo tiempo hubiésemos escrito las palabras y las oraciones muy grandes y claras, los niños muy pequeños podrían leer, pero no tendrían la capacidad de comprender el lenguaje oral.

Supongamos que después se introdujese la televisión con sus palabras escritas con letras grandes y con los sonidos de estas palabras en volumen alto. Naturalmente, todos los niños podrían leer las palabras, pero también habría muchos niños que empezarían a comprender el lenguaje oral a la sorprendente edad de dos o tres años. ¡Exactamente eso, pero a la inversa, es lo que está ocurriendo actualmente con la lectura! La TV nos ha mostrado muchas otras cosas interesantes sobre los niños.

La primera es que observan la mayoría de los "programas para niños" sin prestarles atención constante, pero, como todos saben, cuando llegan los comerciales corren hacia el televisor para escuchar y leer sobre los productos y lo que se supone que hacen.

El punto aquí no es que los comerciales de la televisión estén a la altura de un niño de dos años, ni que la gasolina o lo que contenga le llame especialmente la atención a los niños de dos años, porque no es así.

La verdad es que los niños pueden aprender de los comerciales con mensajes suficientemente grandes y claros, con volumen suficientemente alto y que todos los niños tienen un gran deseo de aprender. Prefieren aprender algo a que sólo los entretengas con payasadas: y eso es un hecho.

Después, los pequeños leen alegremente la marca Esso, la marca Gulf y la marca Coca-Cola y muchas otras, cuando salen a la carretera en el auto de la familia: y eso es un hecho.

No es necesario preguntar "¿Pueden aprender a leer los pequeños?" Lo han contestado: *pueden*. Lo que habría que preguntar es: "¿Qué queremos que lean los bebés?" ¿Debemos limitar su lectura a los nombres de los productos y a las rarísimas sustancias químicas que contienen estos productos o nuestros estómagos, o debemos permitir que lean algo que pueda enriquecer sus vidas, y que pudiera tener que ver con un centro cultural en vez de un centro comercial?

Veamos los puntos básicos:

1. Los bebés *quieren* aprender a leer.
2. Los bebés *pueden* aprender a leer.

3. Los bebés *están* aprendiendo a leer.
4. Los bebés *deberían* aprender a leer.

Dedicaré un capítulo a cada uno de estos puntos. Cada uno es verdadero y sencillo. Tal vez esto es parte del problema. Hay pocos disfraces más difíciles de penetrar que el engañoso manto de la sencillez.

Es probable que esta misma sencillez nos haya dificultado comprender, o aun creer, el absurdo relato que el señor Lunski nos narró sobre Tommy.

Es raro que hayamos tardado tanto tiempo en hacerle caso al señor Lunski porque la primera vez que vimos a Tommy en los Institutos, ya sabíamos todo lo que teníamos que saber para comprender lo que le estaba pasando a Tommy.

Tommy era el cuarto hijo de la familia Lunski. Sus padres no habían tenido tiempo para una educación formal, y habían debido trabajar mucho para mantener a sus tres hijos normales y agradables. Para cuando Tommy nació, el señor Lunski ya era propietario de un bar y les iba mejor.

Sin embargo, Tommy nació con una lesión cerebral severa. Cuando tenía dos años ingresó a un buen hospital de Nueva Jersey para que le hiciesen un examen neuroquirúrgico. El día que dieron de alta a Tommy, el jefe de neurocirujanos habló francamente con el señor y con la señora Lunski: les explicó que los estudios realizados mostraban que Tommy era un niño que únicamente tenía vida vegetativa y que nunca caminaría ni hablaría y que, por lo tanto, debían internarlo de por vida en una institución.

La determinación de la ascendencia polaca del señor Lunski reforzó su tenacidad norteamericana cuando se puso en pie cuan alto era, ajustó su gran cinturón y declaró: "Doc, está usted completamente equivocado. Este es nuestro hijo."

Los señores Lunski pasaron meses buscando quien les dijese que no necesariamente debían ser así las cosas. Las respuestas siempre eran las mismas.

Sin embargo, para el tercer cumpleaños de Tommy, habían encontrado al doctor Eugene Spitz, jefe de Neurocirugía en el hospital infantil de Filadelfia.

Después de realizar cuidadosamente sus propios estudios neuroquirúrgicos, el doctor Spitz dijo a los padres que si bien Tommy tenía una lesión cerebral severa, era probable que se pudiese hacer algo por él en un grupo de instituciones ubicadas en un suburbio llamado Chestnut Hill.

Tommy llegó a los Institutos para el Logro del Potencial Humano cuando tenía exactamente tres años y dos semanas. No podía moverse ni caminar.

En los Institutos valoraron la lesión cerebral de Tommy y los problemas que acarreaba. Le prescribieron un programa de tratamiento que reproduciría el avance del desarrollo normal en los niños sanos. Se enseñó a los padres a llevar a cabo este programa en casa y se les dijo que si lo realizaban sin interrupciones, Tommy podría mejorar mucho. Debían regresar dentro de sesenta días para una revaloración y, si Tommy mejoraba, harían modificaciones al programa.

No había duda de que la familia Lunski pondría en práctica el programa. Lo siguieron religiosamente.

Para cuando regresaron a su segunda visita, Tommy podía gatear.

Esta vez la familia Lunski abordó el programa con toda la energía que el éxito había motivado. Tenían tanta determinación que, cuando se descompuso su auto camino a Filadelfia para su tercera visita, compraron un auto usado y continuaron hacia su cita. Difícilmente podían contener su deseo de platicarnos que Tommy ya podía decir sus dos primeras palabras: "papá" y "mamá". Ahora Tommy tenía tres años y medio y gateaba. Después, su madre intentó algo que únicamente una madre intentaría con un niño como Tommy. Así como un padre compra una pelota de futbol para su bebito, la señora compró el primer libro de lectura para su hijo de 3 años y medio con severa lesión cerebral, que sólo podía decir dos palabras. Tommy, declaró ella, es un niño muy listo, pueda o no caminar o hablar. ¡Cualquiera con un poco de sentido se puede dar cuenta con sólo mirarlo a los ojos!

Si bien nuestras pruebas de inteligencia para niños con lesión cerebral eran mucho más complejas en eso días que las de la señora Lunski, no eran tan precisas como las suyas. Estuvimos de acuerdo en que Tommy era inteligente, sí, pero enseñar a leer a un niño de 3 años y medio con lesión cerebral: bueno, eso era otra cuestión.

Prestamos muy poca atención cuando la señora Lunski declaró que Tommy, quien para entonces había cumplido cuatro años, podía leer *todas* las *palabras* del primer libro de lectura con mayor facilidad que las letras. A nosotros nos interesaba y complacía más el habla, que progresaba constantemente, lo mismo que su movilidad física.

Cuando Tommy tenía cuatro años dos meses, su padre declaró que el niño podía leer todo el libro *Huevos verdes y jamón*, del doctor Seuss. Sonreímos cortésmente y comentamos qué notable era el avance del habla y el movimiento de Tommy.

Cuando Tommy tenía cuatro años y seis meses, el señor Lunski declaró que Tommy podía leer, y había leído *todos* los libros del doctor Seuss. Anotamos en la historia clínica que Tommy estaba progresando excelentemente, así como que el señor Lunski "decía" que Tommy podía leer.

Cuando Tommy llegó a su decimoprimera visita, acababa de celebrar su quinto cumpleaños. Aunque el doctor Spitz y nosotros estábamos encantados con los impresionantes adelantos de Tommy, nada indicaba al inicio de su visita que este día sería importante para todos los niños. Es decir, nada, excepto el acostumbrado y descabellado reporte del señor Lunski. Ahora Tommy, declaró el señor Lunski, podía leer casi todo, inclusive el *Reader's Digest*, y más aún, lo podía comprender, y no sólo eso, sino que había empezado a hacerlo antes de su quinto cumpleaños.

La llegada de uno de los empleados de la cocina, que traía nuestro almuerzo: jugo de tomate y una hamburguesa, nos evitó tener que hacer un comentario al respecto. El señor Lunski, observando que no reaccionábamos, tomó una hoja de papel del escritorio y escribió: "A Glenn Doman le gusta beber jugo de tomate y comer hamburguesas."

Tommy obedeció las instrucciones de su padre y leyó esto fácilmente, con los acentos y las inflexiones correctas. No vaciló como el niño de siete años que lee cada palabra por separado sin comprender el sentido de la oración.

"Escriba otra oración", le dijimos lentamente.

El señor Lunski escribió: "Al papá de Tommy le gusta beber cerveza y whisky. Tiene una gran barriga por beber cerveza y whisky en la Taberna de Tommy."

Tommy había leído únicamente las tres primeras palabras en voz alta cuando empezó a reír. La parte graciosa sobre la barriga de papá estaba hasta la cuarta línea, pues el señor Lunski le escribía con letras muy grandes.

Este niño con lesión cerebral severa, de hecho estaba leyendo con mucha mayor rapidez de lo que pronunciaba en voz alta, al ritmo normal de su habla. ¡Tommy no únicamente estaba leyendo, sino que era un lector rápido y era evidente que comprendía!

Que estábamos atónitos se reflejó en nuestro rostro. Nos volvimos hacia el señor Lunski.

Después de ese día ninguno de nosotros volvió a ser el mismo, pues ésta era la última pieza del misterio en el rompecabezas que se había estado formando durante más de veinte años.

Tommy nos había enseñado que inclusive un pequeño con lesión cerebral severa podía aprender a leer mucho antes que cuando suelen hacerlo los niños normales.

Por supuesto, se sometió inmediatamente a Tommy a una serie exhaustiva de *tests*, a cargo de un grupo de expertos que para ello se mandaron llamar a Washington en el lapso de una semana. Tommy, con lesión cerebral severa y de cinco años y días de edad, podía leer mejor que un niño normal dos veces mayor, y comprendiéndolo todo.

Cuando Tommy tenía seis años caminó. Si bien esto era relativamente nuevo para él y todavía vacilaba un poco, leía como si cursara el sexto grado de primaria (como si tuviera entre once o doce años de edad). Tommy no iba a pasar el resto de su vida en una institución, sino que sus padres estaban buscando una escuela "especial" para inscribir a Tommy el próximo septiembre. Es decir, especialmente *alta*, no especialmente baja. Por fortuna, ahora hay algunas escuelas experimentales para niños excepcionalmente "dotados". Tommy tuvo el dudoso "don" de una lesión cerebral severa y el indudable don de unos padres que lo amaban realmente y que creían que, por lo menos su niño, no estaba logrando su potencial.

Al final, Tommy sirvió de catalizador para un estudio de veinte años. Tal vez sea más preciso decir que fue un fusible para una carga cuya fuerza explosiva había estado creciendo durante veinte años.

Lo fascinante fue que Tommy quería leer y que lo disfrutaba enormemente.

2
Los bebés desean aprender a leer

Me ganó: no hemos podido evitar que lea desde que te-
nía tres años.

—LA SEÑORA GILCHRIST,
MADRE DE MARY, DE 4 AÑOS
Newsweek (13 de mayo de 1963)

En la historia del hombre no ha habido nunca un científico adulto que haya sido tan curioso como un niño de los dieciocho meses a los cuatro años. Nosotros, los adultos, hemos malinterpretado esta magnífica curiosidad acerca de todo, como una falta de capacidad para concentrarse.

Por supuesto, hemos observado cuidadosamente a nuestros bebés, pero no siempre hemos comprendido lo que significaban sus acciones. Entre otras cosas, muchas personas usan con frecuencia dos palabras muy diferentes como si fuesen la misma. Esta palabras son *aprender* y *educar*.

El *American College Dictionary* nos dice que *aprender* significa: "1. Adquirir conocimiento o habilidad a través del estudio, la instrucción o la experiencia..."

Educar significa: "1. Desarrollar las facultades y las capacidades a través de la enseñanza, la instrucción, o la escuela... y 2. Proporcionar educación para enviar a la escuela..."

En otras palabras, aprender se refiere generalmente al proceso de quien está adquiriendo el conocimiento, mientras que educar es frecuentemente el proceso de aprender guiado por un maestro o por la escuela. Aunque realmente todos lo saben, se piensa que estos dos procesos son uno solo.

Debido a ello, a veces creemos que como la *educación* oficial se inicia a los seis años, el proceso de aprendizaje más importante también se inicia a los seis años.

Nada puede estar más alejado de la verdad.

La verdad es que una criatura empieza a aprender inmediatamente después de nacer. Para cuando tiene seis años y empieza su escolarización, ya ha captado una fantástica cantidad de información, dato tras dato, tal vez más de lo que llegue a captar durante el resto de su vida.

Cuando tiene seis años ya ha aprendido lo esencial acerca de sí y de su familia. Aprendió sobre sus vecinos y su relación con ellos, sobre su mundo y su relación con él y un mar de hechos más que son literalmente incontables. Lo más importante es que ha aprendido por lo menos todo un lenguaje y a veces más de uno. (Es muy poco probable que realmente domine una segunda lengua después de los seis.)

Todo antes de que ponga un pie en un salón de clases.

El proceso de aprendizaje a lo largo de estos años se efectúa a gran velocidad, a menos que nosotros lo frustremos. Si lo valoramos y estimulamos, se realizará a un ritmo realmente increíble.

Dentro de los niños arde un anhelo ilimitado de aprender.

Podemos sofocar por completo dicho anhelo sólo si destruimos al niño.

Podemos extinguirlo casi por completo si lo aislamos.

Por ejemplo, a veces leemos sobre un idiota de trece años que fue encontrado en el desván encadenado al poste de la cama, tal vez porque lo suponían idiota. El caso es probablemente al revés. Hay muchas probabilidades de que sea idiota porque fue encadenado al poste de la cama. Para valorar este hecho debemos darnos cuenta de que únicamente unos padres psicóticos podrían encadenar a un niño. Un padre encadena a un niño al poste de la cama *porque* el padre es psicótico; y el resultado es un niño idiota *porque* prácticamente se le negó la oportunidad de aprender.

Podemos disminuir el deseo de *aprender* de un niño limitando sus experiencias. Desafortunadamente hemos hecho esto casi a nivel universal al menospreciar drásticamente lo que puede aprender.

Podemos *aumentar* significativamente su aprendizaje con sólo quitarle muchas de las restricciones físicas que le hemos impuesto.

Podemos *multiplicar* muchas veces el conocimiento que capta y aun sus facultades si valoramos su magnífica capacidad para aprender y le damos oportunidades ilimitadas, al mismo tiempo que lo estimulamos.

A lo largo de la historia ha habido casos aislados, pero numerosos, de personas que realmente han enseñado a sus bebés a leer y a hacer cosas más avanzadas, al valorarlos y motivarlos. En *todos* los casos que hemos podido encontrar, los resultados de esta oportunidad premeditada en el hogar para que los niños aprendan van desde "excelente" hasta "sorprendente", y han producido niños felices y bien adaptados con una inteligencia excepcionalmente alta.

Es muy importante recordar que *no* se descubrió primero que estos niños tenían una inteligencia alta y que después se les dieron oportunidades extraordinarias de aprender, sino que, en cambio, eran niños comunes cuyos padres decidieron exponerlos a tanta información como fuese posible a edad temprana.

A través de la historia, los grandes maestros han señalado, una y otra vez, que debemos fomentar en nuestros hijos el amor al aprendizaje. Desgraciadamente no nos han dicho con la frecuencia suficiente cómo podríamos hacerlo. Los antiguos sabios hebreos enseñaban a los padres a hornear pasteles con las formas de las letras del alfabeto hebreo, mismas que la criatura tenía que identificar antes de que le fuera permitido comerse el pastel. De manera semejante, se escribían con miel palabras en hebreo sobre la pizarra del niño. Entonces el niño leía las palabras y las lamía hasta borrarlas, para que "la palabra de la ley fuese dulce a su labios".

Una vez que un adulto se preocupa por las criaturas capta lo que un pequeño realmente está haciendo, se pregunta cómo fue posible que antes no se diera cuenta de ello.

Observen cuidadosamente a un bebé de dieciocho meses y vean lo que hace.

En primer lugar, saca a todos de sus casillas.

¿Por qué? Porque no deja de ser curioso. No puede disuadírsele para que no aprenda, no hay castigo que lo desanime, no importa cuánto nos empeñemos, y vaya que nos empeñamos.

Quiere aprender sobre la lámpara y la taza de café y el enchufe de la luz eléctrica y el periódico y todas las demás cosas del cuarto: lo que significa que tira la lámpara, derrama el café de la taza, introduce el dedo en el enchufe de la luz eléctrica y destroza el periódico. Está aprendiendo constantemente y, como es natural. no lo soportamos.

Por la manera en que se comporta, llegamos a la conclusión de que es hiperactivo e incapaz de prestar atención, cuando la verdad es sencillamente que está prestando atención a todo. Está pendiente de todo con sus cinco sentidos para aprender sobre el mundo. Ve, escucha, siente, huele y prueba. No hay otra manera de aprender más que a través de estos cinco caminos hacia el cerebro, y la criatura los usa todos.

Ve la lámpara y la jala para bajarla y poder tocarla, escucharla, mirarla, olerla y probarla. Si se le da la oportunidad, hará todas estas cosas con la lámpara y con todos los objetos del cuarto. No pedirá que lo dejen salir del cuarto sino cuando haya aprendido todo lo que puede, a través de todos sus sentidos, sobre todos los objetos del cuarto. Está empeñado en aprender y, por supuesto, nosotros estamos haciendo todo lo que está de nuestra parte para detenerlo, porque su proceso de aprendizaje es demasiado costoso.

Los padres hemos elaborado varios métodos para habérnoslas con la curiosidad de la criaturita y, desafortunadamente, casi todos son a costa de su aprendizaje.

El primer método general se basa en la idea de darle algo que no se pueda romper para que juegue. Normalmente esto significa una bonita sonaja color de rosa. Puede ser inclusive un juguete más complicado que una sonaja, pero sigue siendo un juguete. Al presentarle ese objeto, la criatura inmediatamente lo mira (razón por la cual los juguetes tienen muchos colores), la golpea para averiguar si hace ruido (razón por la cual las sonajas suenan), la palpa (razón por la cual los juguetes no tienen bordes agudos), la prueba (razón por la cual la pintura no es tóxica), y aun la huele (todavía no hemos inventado cómo deben oler los juguetes, razón por la cual no huelen a nada). Esto le toma unos noventa segundos.

Ahora que sabe todo lo que desea saber sobre el juguete por el momento, la criatura lo abandona inmediatamente y vuelca su atención hacia la caja en que venía. El bebé encuentra la caja exactamente tan interesante como el juguete (razón por la cual siempre deberíamos comprar juguetes que vienen en caja) y aprende todo sobre la caja. Esto también le toma cerca de noventa segundos. De hecho, frecuentemente prestará más atención a la caja que al juguete. Debido a que se le permite romperla, tiene la oportunidad de aprender cómo está hecha. El juguete en sí no tiene esta ventaja, dado que hacemos los juguetes irrompibles, lo que, por supuesto, reduce su capacidad para aprender.

Por lo tanto, parece que al comprarle a un niño un juguete que viene en caja, tenemos una buena manera de duplicar el lapso de su atención. ¿Pero es así o sólo le hemos dado material igualmente interesante? Evidentemente, el caso es el segundo. En resumen, debemos concluir que el lapso de atención de una criatura está en relación con la cantidad de material que tiene disponible para aprender y no, como creemos con frecuencia, que sea incapaz de prestar atención durante mucho tiempo.

Si observamos a los niños, veremos docenas de ejemplos como éste. Sin embargo, a pesar de todas las pruebas ante nuestra vista, con demasiada frecuencia llegamos a la conclusión de que cuando un niño tiene un lapso de atención muy corto, es porque no es muy listo. Esta deducción implica insidiosamente que (como todos los niños) no es muy inteligente porque es muy pequeño. Uno se pregunta cuáles serían nuestras conclusiones si una criatura de dos años se sentase en un rincón y jugase durante cinco horas con la sonaja. Probablemente sus padres se alarmarían, y con mucha razón.

El segundo método general para enfrentar sus intentos por aprender se basa en la idea de meterlo en el corral.

Lo único adecuado del corral es su nombre: ciertamente es un corral. Por lo menos deberíamos ser francos respecto a este accesorio y dejar de decir: "Vamos a comprar un corralito para el bebé". Digamos la verdad y admitamos que lo compramos pensando en nosotros mismos.

Hay una caricatura que muestra a una madre sentada en el corral, lee y sonríe satisfecha mientras los bebés juegan fuera del corral, sin poder llegar a ella. Esta caricatura, aparte de su elemento humorístico, sugiere otra verdad: la madre, que ya conoce el mundo, puede darse el lujo de estar aislada, mientras que los niños, que tienen mucho que aprender, pueden seguir con sus exploraciones fuera del corral.

Pocos padres se dan cuenta de cuánto cuesta realmente un corral. El corral no limita únicamente la capacidad de la criatura para aprender sobre el mundo, lo que es muy evidente, sino que restringe gravemente su crecimiento neurológico al limitar su capacidad para arrastrarse y gatear (proceso vital para el desarrollo normal). A su vez, esto inhibe el desarrollo de su visión, de su competencia manual, de su coordinación entre su mano y sus ojos y un mar de otras cosas.

Los padres nos hemos convencido de que estamos comprando el corral para proteger al bebé para que no se lastime al querer morder un cordón eléctrico o al rodar escaleras abajo. Realmente lo encorralamos para que no tengamos que estarnos asegurando de que está a salvo. Perdemos lo más por lo menos.

Sería mucho más razonable, si el corral es indispensable, que fuera de tres metros y medio de ancho por siete metros de largo para que el bebé pudiera arrastrarse, gatear y aprender durante estos años vitales. Con un corral así, la criatura se puede mover siete metros arrastrándose o gateando en línea recta antes de encontrarse contra los barrotes al otro extremo. Dicho corral es mucho más cómodo para los padres también, dado que únicamente ocupa espacio a lo largo de una pared y no llena todo el cuarto.

El corral, como accesorio para evitar el aprendizaje desgraciadamente es mucho más eficaz que la sonaja, porque después de que la criatura dedica noventa segundos a aprender sobre cada juguete que la mamá mete al corral (razón por la cual los tira fuera del corral después de que ha terminado de conocerlos), se queda sin tener qué hacer.

Así hemos evitado que destruya las cosas (una manera de aprender), confinándolo físicamente. Este método, que coloca a la criatura en un vacío físico, emotivo y educativo, no falla mientras podamos soportar sus gritos angustiados para que lo saquemos; o, suponiendo que lo soportemos, hasta que es lo suficientemente grande para salir trepando y renovar su búsqueda de aprender.

¿Por lo anterior se supone que estamos a favor de que la criatura rompa la lámpara? De ninguna manera: se supone únicamente que hemos tenido demasiado poco respeto por el deseo de aprender de la criatura, a pesar de todas las pruebas que nos da de que ansía aprender todo lo que pueda, tan rápidamente como sea posible.

Siguen apareciendo relatos apócrifos que, aunque no son ciertos, son reveladores.

Hay un relato de dos pequeños de cinco años en el jardín de niños sobre quienes pasa velozmente un avión cuando están en el patio. Uno dice que el avión es supersónico. El otro lo refuta alegando que las alas no están suficientemente inclinadas hacia atrás. La campana de recreo interrumpe la discusión y el primer niño dice: "Ahora tenemos que interrumpirnos y volver a ensartar esas condenadas bolitas."

El relato es exagerado, pero tiene un gran fondo de verdad: piense en el niño de tres años que pregunta: "¿Papi, por qué está caliente el sol?" "¿Cómo se metió el hombrecito al aparato de TV?" "¿Qué hace que crezcan las flores, mami?"

Mientras que la criatura está demostrando una curiosidad electrónica, astronómica y biológica, con demasiada frecuencia le decimos que corra y se vaya a jugar con sus juguetes. Al mismo tiempo podemos muy bien llegar a esa conclusión porque es tan pequeño que no podría comprender y, además, porque tiene un lapso muy corto de atención. Ciertamente lo tienen, para la mayoría de los juguetes, por lo menos.

Hemos logrado mantener a nuestros hijos cuidadosamente aislados del aprendizaje durante el período de sus vidas en que el deseo de aprender está en su punto máximo.

El cerebro humano se distingue en el sentido de que es el único recipiente del que se puede decir que cuanto más se le mete, más le cabe.

Entre los nueve meses y los cuatro años, la habilidad para captar información es inigualable, y el deseo de hacerlo es más vehemente que nunca. Sin embargo, durante este período conservamos a la criatura limpia, bien alimentada y a salvo del mundo que la rodea —y en un vacío de aprendizaje.

Es irónico que cuando la criatura sea mayor, le diremos repetidamente cuán tonto es por no querer aprender astronomía, física y biología. Aprender, le diremos, es lo más importante en la vida, y de hecho, sí lo es.

Sin embargo, hemos pasado por alto el otro lado de la moneda.

Aprender también es el juego más fabuloso de la vida, y el más divertido.

Hemos supuesto que los niños odian aprender básicamente porque a la mayoría de los niños les ha disgustado la escuela y aun la han despreciado. Nuevamente hemos confundido la escolaridad con el aprendizaje. No todos los niños están aprendiendo en la escuela así como no todos los niños que están aprendiendo lo hacen en la escuela.

Mis experiencias personales en el primer grado de primaria fueron tal vez típicas de lo que han sido durante siglos. En general, la maestra nos decía que nos sentásemos, que nos mantuviésemos callados, que la mirásemos y que escuchásemos mientras ella iniciaba un proceso llamado enseñanza que, decía, será penoso para ambas partes, pero del que aprenderíamos o si no...

En mi caso particular, la profecía de esa maestra de primer grado resultó cierta; el proceso fue penoso y, por lo menos durante los primeros doce años, lo odié minuto a minuto. Estoy seguro de que mi experiencia no fue única.

El proceso de aprender debe ser diversión de la más alta, pues de hecho es el juego más fabuloso de la vida. Tarde o temprano todas las personas brillantes llegan a esta conclusión. Una y otra vez se les escucha decir: "Fue un día espléndido. Aprendí muchas cosas que antes no sabía." O también se escucha: "Tuve un día espantoso *pero* algo aprendí."

Una experiencia reciente, que coronó cientos de situaciones semejantes pero menos divertidas, sirve como excelente ejemplo de que los niños quieren aprender a tal grado que no pueden diferenciar el aprendizaje de la diversión. Conservan esta actitud hasta que nosotros, los adultos, los convencemos de que el aprendizaje *no* es divertido.

Nuestro equipo había estado tratando a una criatura de tres años durante muchos meses y había llegado al momento de introducirla a la lectura. Para la rehabilitación de esta criatura era importante que aprendiese a leer, porque es imposible inhibir una sola de las funciones del cerebro humano sin suprimir en cierta medida todas las demás funciones. En cambio, si enseñamos a leer a un pequeño con lesión cerebral, ayudaremos materialmente su habla y otras funciones. Por esta razón habíamos prescrito que se enseñase a leer a esta criatura a partir de esta visita en particular.

El padre de la niña se mostraba razonablemente escéptico acerca de enseñar a leer a su hijita de tres años que tenía una lesión en el cerebro. Se le convenció de que lo hiciese únicamente por el excelente progreso físico y del habla que la criatura había logrado hasta esa fecha.

Cuando, dos meses más tarde, regresó para una revisión del progreso, alegremente nos narró lo siguiente: si bien había aceptado hacer lo que se le había indicado, no creía que funcionara. También decidió que si iba a intentar enseñar a leer a su hija con lesión cerebral, lo haría en lo que él consideraba que era "el ambiente típico de un salón de clases".

Por lo tanto, había construido en su sótano un salón de clases, con todo y pizarrón y pupitres. Entonces invitó a su hija sana de siete años para que también asistiera.

Como se esperaba, la niña de siete años había echado un vistazo al salón de clases y gritó de alegría: más grande que un carrito de bebé, más grande que una casa de muñecas: tenía su propia escuela privada.

En julio, la niña de siete años salió a buscar a cinco niños vecinos, de entre tres y cinco años, para "jugar a la escuela".

Por supuesto, se emocionaron con la idea y decidieron portarse bien para poder ir a la escuela como sus hermanos y hermanas mayores. Jugaron a la escuela cinco días a la semana durante todo el verano. La niña de siete años era la maestra y los niños menores los alumnos.

Nadie obligó a los niños a jugar este juego. Sencillamente era el mejor juego que habían encontrado.

La escuela cerró en septiembre, cuando la maestra de siete años regresó a su propio segundo grado.

Como resultado, en ese barrio hay ahora cinco criaturas, entre tres y cinco años, que pueden leer. No pueden leer a Shakespeare, pero pueden leer las veinticinco palabras que su maestra de siete años les enseñó. Las leen y las comprenden.

Seguramente debemos poner a esta pequeña de siete años entre las educadoras más competentes de la historia o si no, debemos llegar a la conclusión de que los niños de tres años *quieren* aprender a leer.

Preferimos creer que es el anhelo de los niños de tres años por aprender y no la capacidad de la niña de siete años para enseñar lo que valió para el aprendizaje.

Finalmente, es importante observar que cuando se enseña a leer un libro a una criatura de tres años, puede prestarle su atención durante largos períodos, se muestra muy lista y deja de romper lámparas; pero sigue siendo una criatura de tres años y todavía considera que la mayoría de los juguetes son interesantes durante cerca de noventa segundos.

Naturalmente, así como un niño no desea aprender a

leer sino a partir de que sabe que existe la lectura, todos los niños quieren captar información sobre todo lo que les rodea, y, en circunstancias adecuadas, la lectura es una de estas cosas.

3
Los bebés pueden aprender a leer

Un día, no hace mucho tiempo, la encontré en el piso de la sala hojeando un libro en francés. Ella sencillamente me dijo: "Bueno, mami, ya leí todos los libros en inglés que hay en la casa."

—LA SEÑORA GILCHRIST
Newsweek (13 de mayo de 1963)

Los bebés pueden y aprenden a leer palabras, oraciones y párrafos, exactamente de la misma manera como aprenden a comprender palabras, oraciones y párrafos hablados.

Nuevamente, la verdad es sencilla: hermosa y sencilla. Ya hemos expresado que los ojos ven pero no comprenden lo que ven; y que los oídos escuchan pero no comprenden lo que escuchan. El cerebro es el único que comprende.

Cuando el oído capta, o tal vez recoge una palabra o un mensaje hablado, este mensaje auditivo se separa en una serie de impulsos electroquímicos que son enviados al cerebro, que es sordo, y que entonces los vuelve a construir; y *comprende* el significado que la palabra se propone transmitir.

Exactamente de la misma manera sucede cuando los ojos captan una palabra o un mensaje escrito: este mensaje visual se separa en una serie de impulsos electroquímicos que son enviados al cerebro que es ciego para que los reconstruya y los comprenda como lectura.

El cerebro es un instrumento mágico.

El canal visual y el canal auditivo viajan a través del cerebro, donde *ambos* mensajes son interpretados por el mismo proceso cerebral.

La *agudeza* visual y la *agudeza* auditiva tienen muy poco que ver con todo ello, a menos que sean demasiado débiles.

Hay muchos animales que ven y escuchan mejor que cualquier ser humano. No obstante, ningún chimpancé, por más aguda que sea su vista o su oído, podrá llegar a leer la palabra "libertad" con sus ojos o a comprenderla con sus oídos. No tiene el cerebro para ello.

Para empezar a comprender el cerebro humano debemos tomar en cuenta el momento de la concepción, más que el momento del parto, porque el magnífico y poco comprendido proceso del desarrollo del cerebro se inicia con la concepción.

A partir del momento de la concepción, el cerebro humano se desarrolla a un ritmo explosivo que desciende continuamente.

Explosivo y *descendente*.

Todo el proceso termina básicamente a los ocho años. En el momento de la concepción el óvulo fértil tiene un tamaño microscópico. Doce días después, el embrión es lo suficientemente grande para que se distinga el cerebro. Esto acontece mucho antes de que la madre sepa que está embarazada: así de rápido es el ritmo del desarrollo.

Si bien el *ritmo* del desarrollo es fantástico, este ritmo siempre es más lento que el día anterior.

En el momento del nacimiento, la criatura pesa tres o

cuatro kilos, lo que significa millones de veces más de lo que pesaba el óvulo nueve meses antes, al momento de la concepción.

Es evidente que si este *ritmo* de desarrollo fuese el mismo durante los nueve meses anteriores, pesaría miles de toneladas cuando tuviese dieciocho meses.

El proceso del desarrollo cerebral iguala al corporal, pero tiene un ritmo más descendente. Esto se puede apreciar bien al observar que al nacer el cerebro de la criatura constituye el 11 por ciento del peso total del cuerpo, y en los adultos sólo el 2.5 por ciento.

Cuando el niño tiene cinco años, el crecimiento del cerebro alcanza el 80 por ciento.

Cuando tiene ocho años, el proceso del desarrollo cerebral, como hemos dicho, está prácticamente completo.

Entre los ocho y los ochenta años tenemos un desarrollo cerebral menor que el que tuvimos en un solo año (y el más lento de los ocho primeros), entre los siete y los ocho.

Además de comprender lo esencial sobre el desarrollo cerebral, es importante comprender cuáles de sus funciones son más importantes para los humanos.

Hay únicamente seis funciones neurológicas que son exclusivas del hombre, y estas seis funciones caracterizan al hombre y lo distinguen de otros seres: son las seis funciones del revestimiento cerebral conocido como la corteza cerebral. Estas facultades exclusivamente humanas se presentan y funcionan a los ocho años. Vale la pena conocerlas:

1. Únicamente el hombre puede caminar totalmente erguido.
2. Únicamente el hombre puede hablar con un lenguaje convencional de símbolos abstractos.
3. Únicamente el hombre puede combinar su singular destreza manual, con las habilidades motrices enumeradas arriba, para escribir su lenguaje.

Las primeras tres facultades son de naturaleza *motriz* (expresivas) y se basan en las otras tres, que son de naturaleza *sensorial* (receptivas).

4. Únicamente el hombre comprende el lenguaje convencional de símbolos abstractos que escucha.
5. Únicamente el hombre puede identificar un objeto sólo por el tacto.
6. Únicamente el hombre ve de manera tal que puede leer el lenguaje abstracto cuando está en forma escrita.

Un niño de ocho años puede efectuar todas estas funciones dado que a esa edad camina, habla, escribe, lee y comprende el lenguaje oral, e identifica objetos a través del tacto. Es evidente que de esa época en adelante, hablamos de una especie de multiplicación lateral de estas seis habilidades exclusivamente humanas, más que de la suma de otras nuevas.

Dado que, en gran medida, la vida futura del hombre depende de estas seis funciones que se desarrollan durante los primeros ocho años, es muy importante una investigación y descripción de las diversas fases que existen durante ese periodo formativo de la vida.

EL PERIODO DESDE EL NACIMIENTO HASTA EL AÑO

Este periodo de la vida es *vital* para el futuro del bebé.

Es cierto que lo conservamos calentito, alimentado y limpio, pero también que limitamos gravemente su desarrollo neurológico.

Lo que *debería* ocurrirle durante este lapso fácilmente podría ser tema de todo un libro. Baste decir aquí que durante este periodo de la vida, el infante debería tener oportunidades casi ilimitadas para el movimiento, para la exploración física y para la experiencia. Nuestra sociedad y cultura actual le niegan esta oportunidad, y en las raras ocasiones que se le permite a la criatura, da como resultado niños física y neurológicamente superiores. *Lo que será el adulto en términos de habilidad física y neurológica se determina durante este periodo con mayor fuerza que en cualquier otro.*

EL PERIODO DEL AÑO HASTA LOS CINCO

Este periodo de la vida es definitivo para todo el futuro del niño.

Durante este periodo lo amamos, nos aseguramos de que no se lastime, lo colmamos de juguetes y lo enviamos al jardín maternal. Y, totalmente inconscientes, estamos haciendo todo lo posible por evitar su aprendizaje.

Lo que *debería* suceder durante estos años decisivos es que deberíamos satisfacer su asombrosa sed de materia prima, de la que él quiere beber en todas las formas posibles, pero especialmente en términos de lenguaje, sea oral y auditivo; o impreso y leído.

Durante este periodo de la vida es cuando el niño debería aprender a leer, abriendo así para él, la puerta del dorado tesoro de las cosas escritas por el hombre a lo largo de la historia, de la suma del conocimiento humano.

Durante estos años, que no se volverán a vivir, años de insaciable curiosidad, es cuando se establece el ser intelectual de la criatura. Lo que puede ser, los intereses que tendrá, lo que serán sus habilidades, se determina durante estos años. Una cantidad ilimitada de factores influyen en lo que será su trabajo en la vida, y algunos de estos factores pueden ser dañinos para sus capacidades.

Si bien las circunstancias de la vida adulta se pueden combinar para disminuir su capacidad de disfrutar de la vida y ser productivo, no se elevará el potencial que se establece durante este periodo decisivo de su vida. Por este motivo de máxima importancia se le deberían dar al niño todas las oportunidades de obtener conocimientos, que él disfruta sobre todas las demás cosas.

Es ridículo suponer que cuando la insaciable curiosidad de una criatura se satisface, y de una manera que le encanta, lo estamos privando de su preciada niñez. Tal actitud sería totalmente indigna de mención, si no fuese tan frecuente. Sin embargo, rara vez se encuentran padres que crean que se pierde algo de la "preciada niñez" cuando ven la vehemencia con que la criatura se aboca a leer un libro con mamita, comparada con sus gritos para salir del corral o con su soberano aburrimiento en medio de una montaña de juguetes.

Más aún, durante este periodo de la vida el aprendizaje es una necesidad compulsiva y estamos obrando contra natura cuando tratamos de evitarlo. *Es necesario para la sobrevivencia.*

El gatito que "juega" brincando sobre una bola de estambre, simplemente usa el estambre como sustituto de un ratón. El perrito que "juega" con ferocidad fingida con otros cachorritos está aprendiendo a sobrevivir cuando sea atacado.

La sobrevivencia en el mundo humano depende de la habilidad para comunicarse, y el lenguaje es el medio de comunicación.

El juego de los niños, como el juego del gatito, tiene un propósito que se acerca más al aprendizaje que al entretenimiento.

La adquisición del lenguaje en todas sus formas es uno de los primeros propósitos del juego del pequeño. Debemos tener cuidado de verlo como lo que es, en vez de suponer que dicho juego busca el entretenimiento.

Para el niño, la necesidad de aprender durante este periodo de la vida es fundamental. ¿No es maravilloso que una Naturaleza omnisciente haya hecho que la criatura desee también el aprendizaje? ¿No es horrible que hayamos entendido tan mal lo que es una criatura, y que le hayamos puesto tantas barreras a la Naturaleza?

Este es pues, el periodo de la vida en el que el cerebro de una criatura es una puerta abierta a toda la información. Durante este periodo de su vida recibe toda la información sin un esfuerzo consciente. Este es el periodo de la vida en el que puede aprender a leer fácil y naturalmente. Se le debería dar la oportunidad de hacerlo.

Durante este periodo puede aprender a hablar lenguas extranjeras, aun tantas como cinco, las que actualmente no aprende en preparatoria y en la universidad. Se le debe dar esta oportunidad. Ahora aprenderá fácilmente, pero con mucha dificultad después.

Durante este periodo se le debe ofrecer toda la información básica sobre el lenguaje escrito, que aprende con mucho más esfuerzo entre los seis y los diez años. Lo aprenderá más fácil y rápidamente.

Más que una oportunidad única, es un deber sagrado. Debemos abrirle la compuerta de todo el conocimiento básico.

Nunca más tendremos una oportunidad igual.

EL PERIODO ENTRE LOS CINCO Y LOS OCHO AÑOS

Este periodo es *muy importante* para toda la vida de pequeño.

Durante este importante periodo, que es virtualmente el final de sus días formativos, plásticos, flexibles, empieza la escuela primaria. ¡Cuán traumático puede ser este periodo! ¿Qué lector no recuerda esta parte de su vida, no importa cuánto tiempo haya pasado? La experiencia de ingresar al jardín de niños y los dos años siguientes, frecuentemente son el recuerdo más temprano que conserva un adulto: no lo recordamos con gusto.

¿Por qué tiene que ser así, cuando los niños desean aprender con desesperación? ¿Podemos interpretar que esto significa que no quiere aprender? ¿O es más probable que indique que estamos cometiendo un error fundamental e importante?

¿Si estamos cometiendo un error fundamental, cuál puede ser? Consideremos los hechos del caso.

De pronto tomamos a esta criatura que, hasta la fecha, ha pasado poco tiempo fuera del hogar si es que lo ha pasado, y la introducimos a un mundo social y físico totalmente nuevo. Sería indicio de su infelicidad en el hogar si un niño de cinco o seis años no extrañase su hogar o a su madre durante este periodo formativo tan importante de su vida. Simultáneamente, lo iniciamos en la disciplina grupal y la educación primaria.

Debemos recordar que el niño está muy adelantado en la habilidad de aprender pero muy atrasado en la de juzgar. El resultado es que asocia la infelicidad de ser separado repentinamente de su madre con la experiencia educativa temprana y, por lo tanto, desde un principio asocia el aprendizaje con lo que, en el mejor de los casos, es una vaga infelicidad. Difícilmente puede ser éste un buen comienzo para el trabajo más importante en la vida.

Al hacer esto, asestamos un duro golpe también a la maestra. No es de sorprender que muchas maestras emprendan su tarea con una determinación amarga más que con alegres esperanzas. Tiene dos golpes en su contra cuando pasa por primera vez su mirada en el nuevo alumno.

Cuánto mejor sería para el alumno, la maestra y el mundo si, para ese primer día de clases, el nuevo alumno ya hubiese adquirido y conservado el amor y la alegría de aprender.

Si éste fuese el caso, el amor de la criatura por la lectura y el aprendizaje, que estaría a punto de aumentar, ayudaría mucho contrarrestar el golpe psicológico de separarse del regazo de la madre.

De hecho, en los casos relativamente aislados en los

que el niño es introducido al aprendizaje a una edad muy temprana, es satisfactorio ver cómo su amor por el aprendizaje se vuelve también amor por la escuela. Es significativo que cuando estos niños no se sienten bien, con frecuencia tratan de ocultarlo a la madre (generalmente sin éxito) para que no se les recluya en casa y dejen de asistir a la escuela. Qué cambio tan agradable comparado con nuestras experiencias de la niñez, cuando con frecuencia fingíamos enfermedades (generalmente sin éxito) para *no* tener que ir a la escuela.

Nuestra incapacidad para reconocer estos factores básicos nos ha hecho cometer acciones psicológicas malas. Desde el punto de vista educativo, el niño de siete años está empezando a aprender a leer, pero a leer sobre *trivialidades* muy inferiores a su interés, conocimiento y habilidad.

Lo que *debería* estarle sucediendo al niño durante este importante periodo de su vida, entre los cinco y los ocho años (suponiendo que le hayan acontecido las cosas adecuadas durante los periodos precedentes), es que debería estar disfrutando el material que normalmente se le presenta cuando tiene entre ocho y catorce años.

Que los resultados de esto a gran escala no pueden ser más que buenos es evidente, a menos que estemos dispuestos a aceptar la premisa de que la ignorancia conduce al bien y el conocimiento al mal, y que jugar con un juguete debe producir felicidad, mientras que aprender sobre el lenguaje y sobre el mundo significa infelicidad.

Sería igualmente tonto suponer que llenando el cerebro con información de alguna manera sería acabarlo, mientras que dejarlo vacío lo conservaría.

Una persona cuyo cerebro se carga con información útil, que puede usar fácilmente, puede ser considerada como genio, mientras que a una persona cuyo cerebro estuviese vacío de información se le llamaría idiota.

Cuánto podrán aprender las criaturas en estas nuevas circunstancias y cuán alegremente aprenderán, es algo con lo que soñaremos hasta que llegue el tiempo en que muchos niños hayan tenido esta nueva oportunidad. No hay duda de que el impacto de estos niños adelantados en el mundo puede ser únicamente para bien.

La cantidad de conocimiento que hemos evitado a nuestros hijos mide nuestra falta de aprecio a su capacidad de aprender. Cuanto hayan aprendido, *a pesar* de nuestros obstáculos, es un tributo a su misma capacidad para captar información.

El recién nacido es casi el duplicado exacto de una computadora electrónica vacía, aunque es superior a dicha computadora en casi todos los sentidos.

Una computadora vacía puede recibir una gran cantidad de información inmediatamente y sin esfuerzo.

Asimismo un bebé.

Una computadora puede clasificar dicha información en cualquier almacén permanente o temporal.

Asimismo un bebé.

Uno no puede esperar que una computadora le dé respuestas precisas, sino a partir de que ha introducido la información básica en que se basa la pregunta que uno hace.

La computadora no puede hacerlo.

Tampoco un bebé.

Cuando uno introduce suficiente información básica en la computadora, recibe respuestas correctas e incluso juicios de la máquina.

Asimismo de un bebé.

La máquina acepta toda la información que se le dé, sea correcta o no.

Asimismo un bebé.

La máquina no rechaza ninguna información que se le introduzca de manera correcta.

Tampoco el bebé.

Si se introduce en la computadora información incorrecta, la máquina puede ser vaciada y reprogramada. Aquí termina el paralelo.

Esto no es cierto con un bebé. La información básica

colocada en el cerebro de una criatura para su almacenamiento permanente tiene dos limitaciones. La primera es que si se le da información errónea al cerebro durante sus primeros ocho años de vida, es sumamente difícil borrarla. La segunda limitación es que después de los ocho años, captan el material nuevo lentamente y con mayor dificultad.

Pensemos en el niño de Aguascalientes que dice "puesn" en vez de "pues", en el de Sonora que dice "huerco" en vez de "puerco" o en el del D.F. que dice "güero" en vez de "huero". Rara vez los viajes o la educación eliminan los errores de pronunciación locales, que es de hecho lo que son los acentos, por encantadores que suenen. Aunque la educación posterior cubra con un barniz el aprendizaje básico de los primeros ocho años, un periodo de gran tensión lo raspará.

Se cuenta que una corista hermosa, pero poco instruida, se casó con un hombre rico. Él se tomó muchas molestias para educar a su nueva esposa y aparentemente tuvo éxito. Pero algunos años más tarde, al descender de un carruaje de la manera como correspondía a la dama educada que ahora era, una valiosa sarta de perlas se atoró en el carruaje y se rompió; las perlas perfectas saltaron en todas direcciones.

"¡Liendres," se dice que gritó, "mis bolitas!"

Lo que se dé al cerebro de un niño durante sus primeros ocho años de vida probablemente es indeleble. Por lo tanto, debemos usar toda nuestra energía para asegurarnos de que sea buena y correcta. Se ha dicho: "denme a un niño durante los primeros ocho años de su vida y después pueden hacer con él lo que quieran." Nada es más cierto.

Todos conocen la facilidad con la que los niños memorizan, aun datos que realmente no comprenden.

Hace poco vimos leer a un niño de ocho años en una cocina en la que ladraba un perro, la radio estaba encendida, y la familia discutía con voces cada vez más acaloradas. El niño estaba memorizando un poema de cierta longitud, para recitarlo en la escuela al día siguiente. Y lo logró.

Si a un adulto le piden que se aprenda un poema hoy para recitarlo mañana frente a un grupo, es probable que el pánico se apodere de él. Suponiendo que lo lograse y que seis meses después se le pidiese que lo recitara otra vez, es muy probable que no pudiese hacerlo, pero que aun recordara los poemas que recitó siendo niño.

Un niño de hecho puede captar y retener todo lo que se le presente durante estos importantísimos años; su habilidad para aprender el lenguaje es especialmente única, y poco importa si dicho lenguaje es oral y lo aprende de manera auditiva, o escrito y lo aprende de manera visual.

Como se ha señalado, con cada día que pasa, la habilidad del niño para captar información sin esfuerzo *disminuye*; pero también es cierto que conforme pasan los días, su habilidad para realizar juicios aumenta. Finalmente, la curva descendente y la curva ascendente se cruzan.

Antes de que se crucen las curvas, el niño en algunos aspectos es superior al adulto. La habilidad para aprender idiomas es una de sus superioridades.

Pensemos en este factor único de superioridad en la adquisición del lenguaje.

El autor pasó cuatro años tratando de aprender francés como adolescente y como adulto joven y ha estado dos veces en Francia, pero es absolutamente cierto que prácticamente no habla francés. Sin embargo, todo niño francés normal y muchos por abajo del promedio, aun algunos retardados mentales, aprenden a hablar bien el francés, aplicando todas las reglas básicas de la gramática, antes de cumplir los seis años.

Es un poco inquietante pensar en ello.

A primera vista, uno sospecharía que la diferencia no es la del niño *versus* el adulto, sino el que el niño estaba en Francia mientras que el adulto no, y que por lo tanto, escuchaba francés todo el tiempo y en todas partes.

Veamos si esa es realmente la diferencia o si la diferencia estriba en la capacidad ilimitada del niño y la gran dificultad del adulto para aprender lenguas.

Literalmente, miles y miles de oficiales del ejército norteamericano han sido asignados a países extranjeros y muchos han tratado de captar el lenguaje nuevo. Tomemos como ejemplo al mayor John Smith. El mayor John Smith tiene treinta años y goza de muy buena condición física. También se tituló en una universidad y tiene un C.I. por lo menos quince puntos por arriba del promedio. El mayor Smith fue enviado a un puesto en Alemania.

Se envía al mayor Smith a una escuela de alemán, a la que asiste tres noches a la semana. Las escuelas de lenguas del ejército son buenas instituciones para adultos, que enseñan con un sistema de lenguaje oral y emplean a los mejores maestros.

El mayor Smith se esfuerza por aprender alemán, pues es importante para su carrera y porque tiene que tratar con personas de habla alemana, así como con personas de habla inglesa todo el día.

Con todo, un año después, cuando va de compras con su hijo de cinco años, es el niño el que habla por la sencilla razón de que ya sabe bastante bien el alemán mientras que el mayor Smith no.

¿Cómo puede ser esto?

¡A papá le enseñaron alemán los mejores maestros que el ejército pudo encontrar, y aun así, no habla realmente el alemán, mientras que su hijo de cinco años sí!

¿Quién le enseñó al niño? Realmente, nadie. Es sólo que durante el día estaba en casa con una sirvienta de habla alemana. ¿Quién enseñó alemán a la sirvienta? Realmente, nadie.

A papá le enseñaron alemán y no lo habla.

Al niño no le enseñaron el alemán y lo habla.

Por si el lector está atorado en la trampa de creer que la diferencia estriba en los ambientes ligeramente diferentes del mayor Smith y de su hijo, más que en la habilidad única del niño y la relativa inhabilidad del adulto para aprender lenguas, consideremos el caso de la señora Smith, que ha vivido en la misma casa con la misma sirvienta que el niño. La señora Smith no ha aprendido más alemán que el mayor Smith, y mucho, mucho menos que su hijo.

Si nuestro mal uso de esta habilidad única para aprender en la niñez no fuese un triste desperdicio, sería verdaderamente divertido.

Si la familia Smith hubiese tenido muchos hijos cuando fueron a Alemania, el dominio de la lengua hubiese sido directamente inverso a la edad de cada miembro de la familia.

El niño de tres años aprendería más que nadie.

El niño de cinco años aprendería muchísimo, pero no tanto como su hermano de tres.

El niño de diez años aprendería un poco de alemán, que muy pronto olvidaría.

La pobre señora Smith y el mayor prácticamente no aprenderían nada de alemán.

Este ejemplo, lejos de ser un caso aislado, es casi universalmente cierto. Hemos conocido niños que han aprendido francés, español, japonés o iraní en estas mismas circunstancias.

Otro punto que nos gustaría señalar no es tanto la capacidad innata de la criatura para aprender lenguas, como la *incapacidad* del adulto para aprender segundas lenguas.

Uno se horroriza cuando considera los miles de millones de pesos que se desperdician anualmente con los *high schools* y en las universidades de los Estados Unidos en un intento vano de enseñar lenguas a jóvenes que son casi incapaces de aprenderlas.

Dejemos que el lector piense si *realmente* aprendió una lengua extranjera en preparatoria o en la universidad.

Si después de cuatro años en una escuela de francés el lector pudo ingeniárselas para pedir un vaso de agua a un mesero en Francia, pidámosle que trate de explicar que desea un vaso de agua *helada*. Esto es suficiente para convencer a cualquiera de que cuatro años de francés no fueron suficientes. Para cualquier niño basta y sobra.

Sencillamente, no hay duda de que un niño, lejos de ser un adulto chiquito e inferior, es realmente superior a los adultos en muchos aspectos y un aspecto menos importante es su manera de captar las lenguas casi al descuido.

Hemos aceptado esta habilidad verdaderamente milagrosa casi sin pensarlo.

Todo niño normal (y, como se ha dicho, muchos por debajo de lo normal) aprende de hecho toda una lengua cuando tiene entre uno y cinco años, con el acento exacto de su estado, ciudad, vecindario y familia, sin esfuerzo visible tal como se habla. ¿Quién vuelve a hacerlo?

Y las cosas no paran allí.

Todo niño que crezca en un hogar bilingüe aprenderá dos lenguas antes de los seis años. Más aún, aprenderá el idioma extranjero con el acento exacto de la localidad en donde los padres lo hayan aprendido.

Si un niño mexicano con padres italianos habla con un italiano años más tarde, el italiano dirá: "Ah, tú eres de Milán" si en Milán fueron criados los padres. "Lo sé por tu acento", a pesar de que el mexicano-italiano nunca haya salido de México.

Todo niño que crezca en un hogar trilingüe hablará dos lenguas extranjeras y la lengua materna antes de cumplir seis años, y así sucesivamente.

El autor tuvo hace poco una experiencia mientras estaba en Brasil, al encontrarse con un niño de nueve años de inteligencia normal, que podría entender, leer y escribir nueve lenguas con bastante fluidez. Avi Roxannes nació en El Cairo (francés, árabe e inglés) y su abuelo (turco) vivía con ellos. Cuando tenía cuatro años, la familia se fue a Israel, donde la abuela paterna de Avi (española) vivió con ellos. En Israel aprendió tres lenguas más (hebreo, alemán y yiddish) y a los seis años la familia se fue a Brasil (portugués).

Como entre los dos padres juntos hablan tantas lenguas como Avi solo, la familia Roxannes sabiamente sostiene conversaciones con él en cada una de las nueve lenguas del niño (individualmente, cuando sólo uno de los padres habla una lengua en particular; y juntos cuando ambos padres las hablan). Los padres de Avi son mucho mejor lingüistas que la mayoría de los adultos, pues cada uno de ellos aprendió cinco lenguas cuando eran niños, pero, por supuesto, no están a la altura de Avi cuando se trata del inglés o del portugués, que aprendieron ya adultos.

Anteriormente observamos que, en la historia, ha habido muchos casos cuidadosamente documentados de lo que aconteció cuando los padres decidieron enseñar a sus hijitos, desde muy pequeños, a hacer cosas que se consideraban extraordinarias, y que todavía así se consideran.

Uno de estos casos es el de la pequeña Winifred, sobre la cual su madre, Winifred Sackville Stoner, escribió un libro titulado *Educación natural* que se publicó en 1914.

Esta madre empezó a motivar a su hija y a darle oportunidades especiales de aprender inmediatamente después del nacimiento. Discutiremos los resultados de esta actitud sobre la lectura de Winifred más adelante en este libro. Por el momento veamos lo que la señora Stoner tiene que decirnos sobre la habilidad de su hija con el lenguaje oral a los cinco años:

"Tan pronto como Winifred pudo manifestar todos sus deseos, empecé a enseñarle español por medio de la conversación y de los mismos métodos directos que usaba para enseñarle inglés. Elegí el español como su segunda lengua porque es la más sencilla de las lenguas europeas. Cuando Winifred llegó a su quinto cumpleaños, se podía expresar en ocho lenguas, y no dudo que pudiera duplicar ese número para estas fechas si hubiese continuado con nuestro juego de construir palabras en diversas lenguas. Pero entonces empecé a pensar en que el esperanto pronto sería el medio internacional de comunicación, y fuera de desarrollar la habilidad lingüística, un conocimiento de muchas, muchas lenguas no sería de gran beneficio para mi pequeña".

Más tarde la señora Stoner dice: "Los métodos usuales para enseñar lenguas en la escuela, a través de las reglas gramaticales y de transacciones han demostrado ser un fracaso total respecto a la habilidad de los alumnos para usar la lengua como instrumento de la expresión del pensamiento.

"Hay profesores de latín que lo han enseñado durante medio siglo y realmente no saben el latín coloquial. Cuando mi hijita tenía cuatro años perdió la fe en la sabiduría de algunos profesores de latín cuando al hablar en latín con un maestro de esta lengua, no comprendió el saludo *"Quid agis"* y la miró azorado cuando ella habló del menú *"ab ovo usque ad mala"*.

Recordando la extraordinaria habilidad de la pequeña para aprender el lenguaje oral, enfaticemos nuevamente que el proceso por el que se comprende el lenguaje oral y el lenguaje escrito es exactamente el mismo.

¿Entonces, no se deduce que los niños deberían tener también la capacidad de leer la lengua? El hecho es que cuando se les da la oportunidad, sí demuestran mucha capacidad. Un poco más adelante veremos algunos ejemplos.

Cuando una persona o un grupo de personas es conducido por la investigación a lo que parece ser una idea nueva e importante, son necesarias varias cosas para que el deber impulse a ese grupo a publicar y difundir la idea.

En primer lugar, la idea debe ser experimentada en la vida real para ver cuáles son los resultados de esa idea al ponerla en práctica. Pueden ser buenos, malos o inocuos. → no causa daño ni fisico ni moral

En segundo lugar, no importa cuán nuevos puedan parecer dichos conceptos, es posible que alguien en alguna parte haya tenido dichas ideas antes y las haya aplicado. Es posible que hayan publicado en algún lugar dichos descubrimientos.

No únicamente es un derecho, sino también un deber de las personas que expresan dichas ideas realizar una investigación seria de todos los documentos disponibles para saber lo que cualquier otra persona haya dicho sobre el tema. Esto es cierto aun cuando la idea parezca completamente nueva.

Entre 1959 y 1962, nuestro equipo estaba consciente de que otras personas estaban trabajando con bebés en el área de lectura, tanto dentro como fuera de los Estados Unidos. Teníamos una idea general de lo que estaban haciendo y diciendo. Si bien concordábamos con mucho de lo que hacían y ciertamente era digno de hacerse, creíamos que la base de dicho aprendizaje era neurológico más que psicológico, emotivo o educativo.

Cuando empezamos a estudiar los documentos sobre el tema nos impresionaron profundamente cuatro hechos:

1. La historia de la enseñanza de la lectura a los bebés no era nueva y de hecho se remonta a varios siglos.
2. Frecuentemente, las personas con generaciones de diferencia hacen las mismas cosas aunque por razones diferentes y con diferentes filosofías.
3. Quienes decidieron enseñar a leer a los bebés habían usado sistemas que, aunque con diferencias técnicas, tenían muchos factores en común.
4. *Lo más importante es que, de todos los casos que pudimos encontrar sobre los bebés que les enseñaron a leer en casa, todos tuvieron éxito, sin importar el método.*

Muchos de los casos fueron observados cuidadosamente y registrados con detalle. Pocos eran más claros que el caso mencionado anteriormente sobre la pequeña Winifred. La señora Stoner había llegado casi a la misma conclusión sobre la lectura a edad temprana que todos nosotros en los Institutos, aunque no poseía los mismos conocimientos neurológicos que nosotros.

Hace medio siglo, la señora Stoner escribió:

"Cuando mi bebé tenía seis meses coloqué un tablero de cartulina blanca a un metro y veinte cms. del piso alrededor del cuarto. En un lado del muro coloqué las letras del alfabeto, que había recortado en papel lustre rojo. En otro muro formé, con las mismas letras rojas, palabras sencillas acomodadas en hileras, como : casa, masa, pasa; bobo, lobo, robo. Observarán que únicamente había sustantivos en estas listas...

"Después de que Winifred aprendió todas las letras empecé a enseñarle las palabras escritas sobre el muro deletreándoselas de viva voz y haciendo rimas con ellas...

"A través de estos juegos de formar palabras, y de las impresiones formadas en la mente de Winifred al leerle, ella aprendió a leer a los dieciséis meses, sin haberle dado una sola de las llamadas lecciones de lectura. Cuatro de mis amigas han intentado este método y han tenido éxito, todas las criaturas a quienes les enseñaron de esta manera sabían leer un inglés sencillo antes de los tres años."

El relato de esta niña y de sus amigas que aprendieron a leer no es, de ninguna manera, el único.

En 1918 se informó de otro ejemplo extraordinario: era el caso de una niña llamada Martha (a veces Millie) cuyo padre, un abogado, empezó a enseñarle a leer cuando tenía diecinueve meses.

Martha vivía cerca de Lewis M. Terman, un famoso educador. Terman estaba sorprendido del éxito que el padre de Martha había logrado al enseñarle y motivó al padre para que escribiese un relato detallado de lo que había hecho. Este relato se publicó, con una introducción de Terman, en el *Journal of Applied Psychology*, vol. II (1918).

Coincidentemente, el padre de Martha también usó

grandes letras rojas cuadradas para sus palabras, como el autor y la madre de Winifred.

Al escribir sobre Martha en sus *Estudios genéticos del genio y de las características físicas y mentales de mil criaturas dotadas (1925)*, Terman dijo:

"Esta niña probablemente tiene el récord mundial de lectura prematura. A la edad de veintiséis meses y medio, su vocabulario de lectura era de más de setecientas palabras; y a la tierna edad de veintiún meses leía y aprendía oraciones sencillas como ideas conexas más que como palabras sueltas. A esa edad podía distinguir y nombrar los colores principales.

"Cuando tenía veintitrés meses empezó a experimentar evidente placer cuando leía. A los veinticuatro meses había leído un vocabulario de más de doscientas palabras que aumentaron a más de setecientas dos y medio meses después.

"Cuando tenía veinticinco meses, le leyó a uno de nosotros con fluidez y con entonación expresiva varias cartillas de primero para lectores principiantes que nunca antes había visto. A esta edad, su capacidad para leer era por lo menos igual a la de un niño normal de siete años que hubiera asistido a la escuela durante un año."

En Filadelfia, los Institutos para el Logro del Potencial Humano han descubierto que es posible enseñar a leer bien aun a niños con lesión cerebral. Esto no demuestra que dichos niños sean superiores a los niños sin lesión, sino que los bebés pueden aprender a leer.

Y los adultos realmente *deberíamos* permitirles leer, si no hubiese ninguna otra razón, por el solo hecho de que lo disfrutan tanto.

4
Los bebés aprenden a leer

Parece tonto decir que puede leer, pues apenas tiene tres años, pero cuando vamos al mercado lee los nombres de muchísimas latas y paquetes.

—CASI TODOS
LOS PADRES QUE TIENEN
NIÑOS DE TRES AÑOS

En noviembre de 1962, en una junta de un grupo de educadores, médicos y otros interesados en el desarrollo neurológico de los niños, un supervisor estatal de educación narró la siguiente historia.

Había sido educador durante treinta y cinco años, y dos semanas antes de la reunión, una maestra de jardín de niños le había informado que cuando se preparaba a leer un libro a sus niños de cinco años, uno de los niños se había ofrecido voluntariamente a leer. La maestra le indicó que ese libro era nuevo y que el niño nunca lo había visto, pero que él insistió en que de todas maneras lo podía leer. La maestra decidió que la manera más fácil de disuadirlo era dejar que lo intentase. Lo dejó y el niño leyó: le leyó a su clase todo el libro de viva voz, con precisión y de corrido.

El supervisor indicó que a lo largo de los primeros treinta y dos años de su vida como educador, había escuchado de vez en cuando relatos sobre niños de cinco años que podían leer libros, pero que en esas tres décadas nunca había visto realmente a uno que lo hiciera. Sin embargo, señaló, durante los últimos tres años, en cada grupo de los jardines de niños había por lo menos un niño que podía leer.

¡Treinta y dos años sin niños de cinco años que pudiesen leer y después, por lo menos uno en cada jardín de niños, durante los últimos tres años! El educador terminó diciendo que había investigado cada caso para averiguar quién había enseñado a estos niños a leer.

"¿Saben quién le había enseñado a leer a estos niños?" le preguntó al evolucionista infantil que moderaba la discusión.

"Sí", contestó el evolucionista, "creo que lo sé: la respuesta es que nadie les ha enseñado".

El supervisor asintió: ése era el caso.

En cierto sentido, nadie había enseñado a leer a estos niños, así como en cierto sentido nadie enseña a un niño a comprender el lenguaje oral.

En un sentido más amplio, todos, más el medio ambiente del bebé, le enseñaron a leer, tal como todos más el medio ambiente le enseñan a comprender el lenguaje oral.

Hoy en día, la televisión forma parte usual del medio ambiente de casi todos los niños norteamericanos. Este es el principal factor nuevo en las vidas de estos pequeños del jardín de niños.

Al mirar los comerciales de la televisión que muestran letras grandes y claras acompañadas de pronunciaciones claras y en volumen alto, las criaturas están empezando inconscientemente a aprender a leer. Haciendo algunas preguntas clave a adultos que no están al tanto de lo que está ocurriendo, esta habilidad para leer se ha extendido. Al tener padres que les leen libros para niños con el afán de entretenerlos, estos niños han adquirido sorprendentes vocabularios de lectura.

En los casos en que los padres se han dado cuenta de lo que realmente sucede, han ayudado encantados al niño en su aprendizaje. Generalmente lo han hecho a pesar de los pronósticos vagos y pesimistas de amigos bien intencionados, de que algo espantoso pero difícil de precisar le ocurriría a la criatura si le ayudan a aprender a leer antes de ir a la escuela.

Aunque apenas publicamos nuestro trabajo a mediados de 1963, venían cientos de visitantes profesionales a los Institutos, así como estudiantes posgraduados de los Institutos, quienes, antes de 1963, estaban conscientes de nuestro interés en enseñar a leer a los bebés.

Además, fácilmente había más de cuatrocientos padres de niños con lesión cerebral que estaban en diversas etapas de enseñanza de la lectura a sus hijos, bajo nuestra dirección. Más de cien de estos niños con lesión cerebral tenían entre uno y cinco años, mientras que otro ciento tenía seis años o más.

Era inevitable que se corriera la voz de lo que estábamos haciendo. A principios de 1963, habíamos recibido cientos de cartas. Para mediados de 1963, después de un artículo del autor en una revista norteamericana, habíamos recibido miles de cartas.

Un porcentaje sorprendentemente bajo de estas cartas eran de naturaleza crítica y más adelante hablaremos de ellas y de las preguntas que contenían.

Las madres de Estados Unidos y de muchos países extranjeros nos escribieron. Estábamos encantados y satisfechos de saber que muchísimos padres habían enseñado a leer a niños de dos y tres años. En algunos casos lo habían hecho hacía quince o más. Muchos de los niños que habían aprendido de esta manera ahora estaban en la universidad o se habían titulado. Estas cartas constituían una corriente de nuevas pruebas sobre la habilidad de los bebés para la lectura.

He aquí párrafos de algunas de las cartas que recibimos.

Apreciados señores:

...Creo que les interesará saber que yo le enseñé a leer a un bebé hace 17 años. No tenía un sistema en forma, y el hecho es que entonces no sabía que lo que hacía era raro. Sucedió debido a mi propio gusto por los libros, al leerle a la niña cuando era muy pequeña y al estar enferma en ese entonces durante varios meses, así es que necesitaba yo entretener de manera pasiva a mi niña de dos años y medio.

Teníamos un juego con letras de cinco y diez centímetros de alto y tarjetas con palabras sencillas. Ella se interesó muchísimo en estas letras y en descubrirlas en nuestros libritos. También aprendió algunas letras de la escritura aérea.

Cuando la niña todavía no tenía edad para el jardín de niños podía leer bastante en los periódicos para encontrar artículos sobre los incendios, que la asustaban; y hacía mucho tiempo que había superado el primer libro de lectura...

Ahora es estudiante destacada en una excelente universidad y, más aún, un éxito en sociedad y en los deportes, así como en otras áreas de destreza e interés. Esto es lo que le espera a por lo menos una persona que pueda leer antes de cumplir los tres años...

Estimado señor:

...Lo he comprobado con mi propia hija. Ahora tiene quince años... estudia el segundo grado de preparatoria y ha sido una estudiante de "10" desde que estaba en primero de primaria.

...Tiene una personalidad maravillosa y es apreciada por sus maestros y condiscípulos.

Mi esposo es un veterano minusválido que peleó en la Primera Guerra Mundial... Ninguno de los dos teníamos estudios suficientes para desempeñar un trabajo decoroso. Él llegó hasta 5° y yo hasta 2° de secundaria. Nos ganábamos la vida viajando y vendiendo pequeños artículos de casa en casa... Compramos una casa remolque de unos cinco metros... Cuando mi hija tenía diez meses, le compré su primer libro... Realmente era un abecedario con los objetos que representaban cada letra en la inicial de sus nombres, A de Avión, etc. En seis meses sabía todos los objetos y los podía nombrar. Cuando tenía dos años, le compré un abecedario más grande (y otros libros también). Mientras viajábamos teníamos una excelente oportunidad para enseñarle.

Cuando nos deteníamos en los pueblos ella necesitaba algo para ocupar su mente. Si yo estaba vendiendo, mi esposo tenía que entretenerla. Ella siempre quería saber qué decían los letreros... Mi esposo se los leía... Nunca le enseñamos realmente el alfabeto. Ella lo aprendió más tarde, en la escuela... Entró a la escuela cuando cumplió seis años, al primer grado de primaria, y no le costó trabajo sacar "10". Ah sí, aún vivimos en la casa remolque de 10 metros. Uno de los extremos es para sus libros... Aquí tenemos una biblioteca municipal, cuyo acervo ella aprovecha.

Sé que esta carta es larga y que puede parecer una presunción, pero realmente no lo es. Sé que si los padres jóvenes tan sólo le dedicaran un poco de más tiempo a sus hijos, habría muchos niños que podrían hacer las mismas cosas que nuestra hija, si les diesen la oportunidad. No se puede nada más darle un tirón a estos niños, dejarlos caer de golpe en la escuela a los seis años y esperar que aprendan rápidamente, sin un poco de preparación desde que son bebés.

...Si usted piensa que esta carta pudiera ser útil para los padres jóvenes la puede publicar. Si no, no se preocupe. Lo principal es que deseaba que supieran que yo sé que: "*¡Podemos enseñar a leer a nuestros bebés!*"

Señores:
...Deseo agregar que lo puede hacer cualquier aficionado sin preparación como yo... mi hijo mayor aprendió el alfabeto por accidente antes de los dieciocho meses...

...cuando tenía cerca de tres años preguntaba lo que significaban los letreros de las calles... y leía antes de ir al jardín de niños sin mucha ayuda de mi parte, excepto contestar sus preguntas. Aunque ahora está en primero de primaria y aprende a escribir diestramente en ese nivel, está realizado todo el aprendizaje del segundo grado en lectura y en aritmética y es el primero de su clase en estas materias... ¿Un C.I. alto es el resultado de leer prematuramente o leer prematuramente es el resultado de un C.I. alto?

...Nunca he tenido mucho tiempo para hablar con mi segundo hijo, y por ello él no es tan leído... Sin embargo, no puedo dejar de lamentar el haber brindado menos atención a mi segundo hijo en este sentido y puede ser una limitante para toda su vida.

...Por lo menos digo que les *encanta* aprender y que pueden aprender mucho más cuando son pequeños y para ellos se trata nada más de un "juego de niños".

Estimado señor:

...finalmente doy reconocimiento al hecho de que a los niños de dos, tres y cuatro años se le puede enseñar a leer y, lo que es más, quieren aprender a leer. Mi propia hija sabía su alfabeto completo... y podía leer varias palabras cuando tenía dos años. Unos días después de su tercer cumpleaños, repentinamente, según parecía, se dio cuenta de que si leía varias palabras sucesivamente se producía ese pensamiento completo conocido como oración. Desde esa ocasión, su lectura ha progresado rápidamente y ahora, a los cuatro años y medio, lee por lo menos tan bien como la mayoría de los niños que terminan el segundo año de primaria.

Una doctora en Medicina, de Noruega, expresó estos comentarios:

Estimado señor:

Enseñé a leer a dos de mis tres hijos a los 4 y 3 años con un método ligeramente diferente. Sus argumentos me parecen muy convincentes. A partir de mi experiencia, creo que su método es definitivamente mejor que el mío, y lo voy a poner a prueba con mi hijo menor (7 meses) el próximo año.

...En Noruega, la lectura se evita a los preescolares con tanto celo como la información sexual en tiempos pasados. A pesar de ello, descubrí los siguientes resultados cuando examiné a 200 preescolares: el 10% leían bastante bien y más de una tercera parte se sabían todas las letras.

Creo que el desarrollo del cerebro es la tarea más importante y emocionante de nuestros tiempos; en mi opinión, usted ha realizado un trabajo realmente de vanguardia.

Se debe aclarar que estas madres habían enseñado a leer a sus hijos, o habían descubierto que sus hijos podían leer, antes de la publicación de este libro, y de ninguna manera se debería interpretar que los métodos delineados avalan este libro. Sencillamente, se trata de cartas de madres dedicadas que están de acuerdo en que los bebés *pueden* aprender a leer, que *están* aprendiendo a leer y que *deberían* aprender a leer antes de ingresar a la escuela.

En Yale, el doctor O.K. Moore ha realizado investigaciones exhaustivas durante muchos años sobre cómo enseñar a leer a los niños preescolares. El doctor Moore cree que es más fácil enseñar a leer a un niño de tres años que a uno de cuatro; a uno de cuatro que a uno de cinco; a uno de cinco que a uno de seis.

Por supuesto que es más fácil.

Debería serlo.

Sin embargo, ¿cuántas veces hemos oído decir que los niños no pueden aprender a leer antes de los seis años y que no deberían aprender a intentarlo?

Hace aproximadamente medio siglo, Maria Montessori fue la primera mujer que se tituló en una escuela de medicina italiana. La doctora Montessori se interesó en el grupo de niños muy abandonados a quienes se clasificaba vagamente como "retrasados". Tal clasificación es sumamente anticientífica, pues hay cientos de razones diferentes por las que el desarrollo de una criatura se puede retrasar. No obstante, María Montessori dio a este grupo de criaturas patéticamente incomprendidas un fundamento médico y su simpatía y aprecio femeninos.

Al trabajar con dichas criaturas, empezó a darse cuenta de que se les podía adiestrar para que se desempeñaran en niveles mucho más altos que hasta entonces, sobre todo si dicho adiestramiento se iniciaba antes de la edad escolar.

Después de varios años, la doctora Montessori decidió que se debería sensibilizar a estas criaturas a través de los medios visuales, auditivos y táctiles. Sus resultados fueron tan satisfactorios que algunos de sus niños "retrasados" empezaron a desempeñarse tan bien como algunos niños normales. Como resultado, la doctora Montessori dedujo que los niños sanos no se estaban desempeñando, ni con mucho, a la altura de sus capacidades y que se les debería dar la oportunidad de hacerlo.

Las escuelas Montessori existen desde hace muchos años en Europa para niños subnormales así como para niños normales. Ahora hay en los Estados Unidos escuelas Montessori dedicadas a ayudar a los niños sanos en edad preescolar a desarrollar todas sus facultades. A los tres años se incluye a los niños en un programa muy amplio, y generalmente el resultado es que a los cuatro la mayoría leen palabras.

La escuela Montessori más antigua de los Estados Unidos es la escuela Whitby de Greenwich, Connecticut, y una visita a esa escuela permite conocer a un grupo de niños bien adaptados, felices y encantadores que aprenden a leer y a realizar otras tareas que hasta la fecha han sido consideradas avanzadas para preescolares.

Un año después de incluir el programa de lectura en los Institutos, había 231 niños con lesión cerebral que aprendían a leer. De éstos, 143 tenían menos de seis años. El resto tenían seis o más y no sabían leer antes de entrar al programa.

Estas criaturas, que tenían tanto problemas físicos como del lenguaje, visitaban los Institutos cada sesenta días. En cada visita se medía su desarrollo neurológico, incluyendo la habilidad para leer. A los padres se les enseñaba el siguiente paso, como se describirá más adelante en este libro, y se les enviaba a casa para que continuasen con el programa físico y con el programa de lectura.

Cuando estos niños *con lesión cerebral* habían estado en el programa durante periodos desde una visita (60 días) hasta cinco visitas (10 meses), *todos* podían leer algo, desde las letras del alfabeto hasta libros completos. Muchos niños de tres años con lesión cerebral podían leer oraciones y libros entendiéndolos perfectamente.

Como hemos dicho, lo anterior no demuestra que niños con lesión cerebral sean superiores a los niños sanos, sino sencillamente que los niños sanos no están logrando lo que pueden y deberían lograr.

Las cifras citadas no incluyen los cientos de problemas de lectura hallados en los Institutos entre niños que no tienen lesión cerebral pero que están fallando en la escuela porque no pueden leer, ni a los grupos de niños sanos de dos y tres años cuyos padres les están enseñando a leer bajo la guía de los Institutos.

En la Universidad de Yale, como hemos visto, el doctor Moore enseña a leer a los bebés.

También en las escuelas Montessori.

Asimismo en los Institutos de Filadelfia.

Es muy probable que otros grupos que el autor desconoce también estén enseñando a leer a las criaturas pequeñas con un sistema organizado. Uno de los resultados de este libro debería ser descubrir qué están haciendo otros grupos comprometidos con esta importantísima labor.

Prácticamente en todos los Estados Unidos, los bebés están aprendiendo a leer aun sin la guía de sus padres. Por ende, vamos a tener que tomar algunas decisiones.

La primera tendrá que ser si *queremos* o no que lean los niños de dos a tres años.

Si decidimos que *no* queremos que lean, hay por lo menos dos cosas que tendremos que hacer:

1. Deshacernos de los aparatos de televisión, o por lo menos prohibir que se muestren palabras en la TV.
2. Tener cuidado de nunca leer encabezados de periódicos o nombres de productos a los niños.

Ahora, por el otro lado, si no queremos tomarnos tantas molestias, podríamos escoger el camino fácil, seguir como vamos y dejarlos que lean.

Si decidimos tomar el camino fácil y permitir que lean los niños de tres años, ciertamente deberíamos hacer algo respecto de *lo que* leen.

Creemos que la mejor manera de enseñarles a leer es en casa, con el auxilio de los padres, más que a través de la televisión. Es fácil, y los padres lo disfrutan casi tanto como los niños.

Si los niños están o no aprendiendo a leer, no es una teoría que podamos discutir. Es un hecho. La única cuestión es qué vamos a hacer al respecto.

5
Los bebés deben aprender a leer

¿Entonces, no saben que el inicio de cualquier tarea es lo principal, sobre todo para cualquier criatura joven y tierna? Pues es entonces cuando se le moldea mejor y se graba la impresión que se desea imprimir en ella.

—PLATÓN

Herbert Spencer dijo que no se debía dejar padecer hambre al cerebro o al estómago. La educación debe empezar en la cuna, pero en un ambiente interesante. A quien le llega la información como una tarea monótona, con amenazas de castigos, no es probable que llegue a ser un buen estudiante en el futuro, mientras que a quienes les llega de maneras naturales, en el tiempo propicio, es probable que continúen durante todas sus vidas la autoinstrucción que iniciaron en la niñez.

Ya hemos hablado de varios niños cuyas madres les enseñaron con éxito y que posteriormente se desarrollaron magníficamente, pero no son casos de textos profesionales.

Veamos ahora los resultados en el caso de Millie (Martha), del que informó la señora Terman cuando la niña tenía algunos años.

Cuando Millie tenía doce años y ocho meses iba dos años adelante de los niños de su edad y estaba en tercero de secundaria. Su madre informa:

"En el semestre anterior fue la única alumna de tercero de secundaria (entre 40 condiscípulos) incluida en el cuadro de honor.

"En nuestro seguimiento de 1927 a 1928, lo primero que el inspector de campo preguntó a su maestra fue en qué materias sobresalía. La respuesta fue: "Millie lee perfectamente." En una charla con el inspector de campo Millie dijo que "le gustaría leer cinco libros al día si no tuviese que ir a la escuela." También admitió con sencillez y sin presunción, que podía leer muy rápidamente, que había leído los trece volúmenes de Markhamd, *Real American Romance*, en una semana. Su padre dudó de que pudiera leer esos libros con tal rapidez y al mismo tiempo digerirlos, así que le hizo preguntas sobre lo que había leído. Le pudo responder a satisfacción.

Según Terman, nada indica que el haber enseñado a leer a Millie desde que era bebé la haya perjudicado en forma alguna: y mucho apoya la idea de que sus grandes capacidades se debían, por lo menos en parte, a su pronto adiestramiento.

El promedio de sus diversos *tests*, de C.I. era de 140, y era una niña fuerte y alegre. No sufrió tropiezos en su adaptabilidad social aunque sus condiscípulos eran dos o tres años mayores que ella.

El C.I. de 140 colocaba a Millie en la categoría de los genios.

Muchos estudios indican que gran número de adultos sobresalientes y genios podían leer mucho antes de ir a la escuela. Siempre se ha supuesto que podían leer a edades tan tiernas *porque* eran niños sobresalientes. Esta es una premisa científica correcta y siempre la hemos aceptado.

Sin embargo, a la luz de muchos casos registrados en que los padres decidieron enseñar a leer a sus bebés mucho antes de que se les pudiera aplicar una prueba válida de inteligencia y, por lo tanto, no había razón para suponer que se trataba de un ser superior, ahora debemos hacernos algunas preguntas.

¿No es que estos bebés se hicieran superiores *porque* se les enseñó a leer a edad temprana?

El que haya tantas personas destacadas, de hecho genios, que podían leer en edad preescolar, apoya con el mismo peso, tanto la primera como la segunda suposición.

Sin embargo, hay más pruebas en apoyo de la segunda premisa que de la primera, y también es una suposición científicamente válida.

La suposición de que muchas personas sumamente inteligentes podían leer a edades muy tiernas *porque* eran genios se basa en un fundamento genético y supone que dichas personas son superiores porque recibieron genéticamente esta capacidad.

No discutiremos el que hay diferencias genéticas en las personas, ni nos interesa profundizar en la eterna discusión del peso que tiene el medio ambiente cuando se compara con la genética, dado que no afecta al punto principal de este libro.

Aun así, no podemos cerrar los ojos ante las pruebas considerables que apoyan la posibilidad de que la lectura prematura tenga una influencia muy grande en el desempeño futuro.

a. A muchas criaturas que resultaron superiores se les enseñó a leer antes de que hubiese pruebas de que serían diferentes. De hecho, algunos padres habían decidido, antes de que su bebé naciera, que lo harían superior enseñándole a leer a edad temprana, y lo hicieron.

b. En muchos de los casos registrados, se enseñó a leer a un bebé y después se demostró que era superior, mientras que a otros hijos de la *misma* familia y de los *mismos* padres no se les enseñó pronto a leer y no fueron superiores. En algunos casos, al niño que enseñaron a leer fue al primero. En otras familias, por diversas razones, el hijo que aprendió prematuramente a leer, no fue el primero.

c. En el caso de Tommy Lunski (y hay otros casos parecidos) nada indicaba que fuese a tener ningún don genético extraordinario. Sus padres tienen una educación inferior a la preparatoria y no son intelectualmente superiores. Sus hermanos también son normales. Además, debe recordarse que Tommy tenía una lesión cerebral severa, y que a los dos años se recomendó que lo internaran en una institución por el resto de su vida por ser "irremediablemente retrasado". No hay duda de que hoy Tommy es un niño extraordinario que lee y comprende por lo menos también como un niño normal dos veces mayor que él.

¿Sería justo, científica o racionalmente, decir que Tommy es un niño "dotado"?

Thomas Edison dijo que un genio es 10 por ciento de inspiración y 90 por ciento de empeño. (Es interesante hacer notar que el propio joven Thomas Edison fue considerado "retrasado" cuando niño.)

Ya hemos discutido con cierto detalle las seis funciones neurológicas que pertenecen exclusivamente a los humanos, y hemos señalado que tres de ellas son habilidades *receptivas*, mientras que las otras tres son *expresivas*.

Parece obvio que la inteligencia del hombre está limitada a la información que pueda obtener del mundo a través de sus sentidos receptivos. La más alta capacidad receptiva es la de leer.

Asimismo, es evidente que si el hombre perdiera sus tres habilidades receptivas, sería más un vegetal que un ser humano.

Entonces, la inteligencia humana está limitada a la suma de las tres características exclusivamente humanas de ver y escuchar de manera que culmine en la capacidad de leer y comprender el lenguaje oral y la capacidad especial de sentir que, de ser necesario, puede leer a través del tacto. Si se destruyen estas tres facultades receptivas, se destruye la mayor parte de lo que distingue al hombre de los otros animales.

Si se limitan estas tres habilidades, se limita igualmente la inteligencia humana.

A menos que una de estas tres facultades humanas sea alta, veremos a un ser humano de baja inteligencia.

Si una de estas habilidades es más alta que las otras, la persona se desempeña en lo más alto de esa habilidad, siempre y cuando se le brinden todas las oportunidades para que obtenga información a través de esa facultad extraordinaria.

Ninguna persona se elevará más allá de su capacidad receptiva más alta, más de la oportunidad que se le dé para usar dicha capacidad receptiva.

Por supuesto, lo contrario es igualmente cierto. Si una persona tiene bajas estas tres capacidades, se desempeñará muy pobremente, de hecho, a un nivel subhumano.

Si pudiésemos imaginar una situación en la cual el hombre repentinamente perdiese la facultad de leer y de escuchar el lenguaje, sería necesario enseñar de otra manera. Es evidente que elegiríamos el sentido del tacto para comunicarnos, como lo hizo la primera maestra de Helen Keller, dado que su alumna, debido a su ceguera y a su sordera, no podía hablar, ni escribir, ni leer. Si la capacidad de Helen Keller para recibir el lenguaje a través del sentido del tacto hubiese sido muy baja, sólo hubiese podido existir a nivel animal. Si no hubiese tenido el sentido del tacto, como no tenía el de la vista y el del oído, hubiese existido en el nivel vegetal.

Cuando estas facultades se incrementan en el hombre, aumenta su desempeño.

Ciertamente, niños con lesión cerebral severa a los que se les enseñó a leer a una edad tierna han demostrado mucha mayor habilidad que los niños con lesión cerebral que no recibieron dicha oportunidad. Y los niños sanos cuyos casos hemos citado, y muchos otros más, parecen haberse desempeñado en niveles mucho más altos que otros niños sanos que no recibieron esa oportunidad.

Puede ser cierto que haya adultos idiotas que entiendan el lenguaje de manera limitada, pero no hay genios que *no puedan* comprender el lenguaje: por lo menos, no en nuestra cultura.

Por supuesto, debe recordarse que la inteligencia sólo puede relacionarse con la cultura en la que existe. Un aborigen australiano, adulto y normal, sería considerado idiota según nuestras normas, si se le transportase a la ciudad de Nueva York y se le aplicase un *test* de inteligencia norteamericano.

Por el otro lado, si a un adulto norteamericano lo llevaran a una tribu de aborígenes australianos, sería casi inútil en esa cultura y probablemente no sobreviviría, a menos que lo cuidasen esas personas, casi igual que se cuida a los idiotas. Evidentemente, el norteamericano "idiota" no podría obtener su alimento con un boomerang, atrapar lagartijas vivas y comerlas crudas, encontrar agua ni, especialmente, comprender lo que se dijese, por lo menos durante algún tiempo.

El lenguaje es el instrumento más importante para el hombre. El hombre no puede tener pensamientos más complejos que los que pueda expresar con el lenguaje. Si necesita más palabras, debe inventarlas para usarlas como instrumentos para pensar y comunicar el nuevo pensamiento.

Esto se ve con claridad en nuestra sociedad técnica, donde cada diez años miles de palabras se deben inventar para describir los nuevos descubrimientos del hombre. Durante la Segunda Guerra Mundial, la Quinta Fuerza Aérea adiestró a un gran grupo de indios norteamericanos en técnicas de radio y los envió a las unidades del Pacífico. Como pocos japoneses (o ninguno) podían hablar choctaw o sioux, se esperaba que se ahorraría un tiempo invaluable al no tener que codificar los mensajes. No funcionó. Sencillamente, no había palabras en las lenguas indígenas para describir un bombardero de guerra, un avión torpedo, un transportador aéreo, la inyección de combustible ni otros muchos términos de la Fuerza Aérea.

Prácticamente todos los *tests* de inteligencia que se aplican al ser humano dependen de su capacidad para recibir información escrita (lectura) u oral. En nuestra cultura, así es por fuerza.

Si la capacidad de leer es escasa o no existe, no hay duda de que la habilidad para expresar la inteligencia también es escasa o inexistente.

Entre los pueblos de la tierra que no tienen lenguaje escrito, o cuyo lenguaje escrito es primitivo, no sólo es cierto que se trata de pueblos incultos, sino también que su inteligencia y su creatividad son bajos.

A los bebés esquimales los meten en pieles cosidas que las madres llevan a la espalda y prácticamente sólo se les permite arrastrarse o gatear, cuando tienen cerca de tres años. Esto es sumamente interesante cuando sabemos que la cultura esquimal ha permanecido virtualmente inalterada durante, por lo menos, los tres mil años que se le conoce. Los esquimales carecen de lenguaje escrito y su lengua es muy rudimentaria.

Si bien es evidente que la falta de material de lectura o la falta de capacidad para leerlo inevitablemente da como resultado una falta de educación, es infinitamente más importante que también resulta en una inteligencia más baja.

Es asunto exclusivamente académico averiguar si los aborígenes australianos no leen porque su inteligencia es inferior o si su inteligencia es inferior porque no leen.

La falta de lectura y la falta de inteligencia van de la mano tanto en los individuos como en las naciones.

Lo contrario también es cierto.

La habilidad lingüística es un instrumento vital. No es

posible imaginar que alguien pueda sostener una conversación compleja o describir un pensamiento complicado en el lenguaje de la tribu amazónica, aunque hablase la lengua con fluidez.

Por lo tanto, la habilidad para expresar la inteligencia está relacionada con la destreza en el lenguaje que uno maneja.

No existe un *test* de C.I. para los niños menores de dos años y medio. Se puede empezar a aplicar el *test* de Stanford-Binet a un niño de dos años y medio y obtener resultados que generalmente resultarán válidos en su vida futura. Sin embargo, conforme incrementa la habilidad lingüística, los *tests* que se aplican se vuelven más seguros, y posteriormente se pueden usar *tests* como el de Wechsler-Bellevue.

Naturalmente, el dominio del lenguaje requerido de un niño en una valoración del C.I. es más alto cada año. Por lo tanto, es obvio que si la competencia verbal de un niño es más avanzada que la de otros niños de la misma edad, calificará más y se le considerará más inteligente que a los otros niños.

Se clasificó a Tommy Lunski como idiota irremediable a los dos años, *básicamente porque no podía hablar* (y por lo tanto no podía expresar su inteligencia), mientras que se le consideró un niño superior a los cinco años *porque podía leer excelentemente.*

Es evidente que la habilidad para leer a edad temprana, tiene mucho que ver con la valoración de la inteligencia. A fin de cuentas, poco importa si la habilidad para expresar la inteligencia es una prueba válida de la inteligencia en sí: es la prueba con la cual se juzga la inteligencia.

Entre más pronto lea una criatura, más probable es que aprenda y que aprenda bien.

Así pues, algunas de las razones por las que los bebés deberían aprender a leer son las siguientes:

a. La hiperactividad de una criatura de dos o tres años de hecho es el resultado de su insaciable sed de conocimiento. Si se le brinda una oportunidad para satisfacer esa sed, por lo menos durante cortos lapsos, será mucho menos hiperactivo, mucho más fácil de proteger y estará mucho mejor capacitado para aprender sobre el mundo cuando se desplaza y cuando aprende acerca del mundo físico y sobre sí mismo.

b. La habilidad de un niño de dos o tres años para captar información, nunca volverá a ser superada.

c. Es infinitamente más fácil enseñar a leer a un niño a esta edad que a cualquiera otra en el futuro.

d. Los niños a los que se les enseña a leer a edad muy tierna, captan mucha *más información* que los niños cuyos intentos prematuros para aprender se frustran.

e. Los niños que aprenden a leer cuando son muy pequeños, tienden a comprender mejor que los pequeños que no aprenden. Es interesante escuchar al niño de tres años que lee con buena inflexión y entonación y compararlo con el niño de siete años que lee cada palabra por separado y sin comprender la oración completa.

f. Los bebés que aprenden a leer tienden a hacerlo con mucha mayor rapidez y comprensión que los que aprenden después. Ello es porque los bebés están mucho menos atemorizados por la lectura y no la consideran una "materia" llena de abstracciones pavorosas. Para los bebés sólo es otra de las cosas fascinantes de un mundo repleto de cosas fascinantes que aprender. No se "detienen" en los detalles, sino que abordan la lectura en un sentido completamente funcional, y tienen mucha razón al hacerlo así.

g. Finalmente, y por lo menos tan importante como las razones expresadas arriba: a los bebés les encanta aprender.

6
¿Quiénes tienen problemas, los bebés que leen o los que no leen?

A muchos de estos niños se les considera dotados, pero cuando se llevaron registros adecuados, los lectores precoces recibieron muchísimo estímulo precoz. En consecuencia, considerar dotado a un bebé, de ninguna manera anula la necesidad de estimularlo... si ha de aprender.

—WILLIAM FOWLER: *El aprendizaje cognoscitivo en la infancia y en la niñez temprana*

Sentí una gran tentación de titular a este capítulo "Algo horrible va a ocurrir", dado que su propósito es tratar sobre las terribles predicciones respecto a lo que le sucederá a los niños que aprenden prematuramente. También era muy tentador llamarlo "Nadie escucha a las madres", que es parte de la razón por la que surgen muchos mitos sobre los pequeños.

Hay un mito que sostiene que únicamente los especialistas pueden comprender a los niños. Entre los muchos expertos que tratan con niños, hay demasiados que insisten en que las madres:

a. no saben mucho sobre niños;
b. son las observadoras más imprecisas de sus propios hijos;
c. dicen terribles mentiras sobre las capacidades de sus propios hijos.

Por experiencia propia, nada puede estar más lejos de la verdad.

Si bien hemos encontrado a madres que hacen relatos fantásticos y falsos sobre sus hijos y que no los comprenden, creemos que, de hecho, son muy pocas. En cambio, hemos encontrado que las madres son observadoras muy cuidadosas y razonables de sus propios hijos, y que, además, son absolutamente realistas.

El problema es que casi nadie las escucha.

En los Institutos vemos a más de mil niños con lesión cerebral cada año. Casi no hay nada que una madre tema más que tener un hijo con lesión cerebral. Y si lo sospecha, quiere averiguarlo lo más pronto posible para poder empezar a hacer lo que tenga que hacer.

De mil casos vistos en los Institutos, en más de novecientos fue la madre quien decidió primero que *algo* malo le pasaba a su bebé. En la mayoría de los casos, a la madre le costó mucho trabajo convencer a alguien (incluyendo al doctor familiar y a otros profesionistas) de que algo estaba mal y de que se debía hacer algo de inmediato.

No importa con cuanto ahínco o durante cuanto tiempo traten de convencerla de lo contrario, ella insiste hasta que se reconoce la situación. A veces le toma años. Entre más ama a su bebé, más desapasionada es para evaluar su condición. Si la criatura tiene algún problema, no descansará si no se resuelve.

En los Institutos hemos aprendido a escuchar a las madres.

Sin embargo, cuando se trata de niños sanos, muchos profesionales han logrado intimidar completamente a las madres. Con frecuencia han hecho que las madres repitan una jerigonza profesional que con frecuencia no entienden. Lo peor de todo es que han estado a punto de embotar las reacciones instintivas de las madres hacia sus hijos en desarrollo, convenciéndolas de que sus instintos maternales las traicionan.

[anotación manuscrita: lenguaje especial difícil de comprender.]

Si continúa esta corriente, corremos el grave riesgo de convencer a las madres de que consideren a sus hijos no como niños, sino como pequeñas cargas de impulsos raros y egoístas y paquetes de símbolos raros, oscuros, muy groseros y temibles que una madre no ilustrada jamás podrá comprender.

Tonterías. Según nuestra experiencia, las madres son las mejores madres.

En ningún aspecto hemos forzado a las madres a creer en más mitos, a inspirarles más temores, y a hacer que anulen sus instintos maternales, que en el área del aprendizaje preescolar.

Hoy en día, muchas madres han llegado a creer que son ciertas algunas cosas por la sencilla razón de que se les repiten mucho. Trataremos de revisar seriamente estas aseveraciones comunes, todas las cuales son mitos hasta cierto punto.

1. *El Mito*: las criaturas que leen desde muy pequeñas tienen problemas de aprendizaje.
   La realidad: En ninguno de los niños que conocemos personalmente, ni en ninguno de los niños sobre los que hemos leído y a quienes se les enseñó en casa, hemos encontrado que esto haya ocurrido. De hecho, en la gran mayoría de los casos sucede lo contrario. Ya hemos descrito muchos de los resultados de la lectura precoz.
   Es difícil comprender por qué causa tanta sorpre-

sa que tan gran porcentaje de niños tenga problemas de lectura. De ninguna manera es sorprendente: lo que es sorprendente es que *alguien* aprenda a leer, al iniciar este aprendizaje, como lo inicia la mayoría, cuando su capacidad para aprender fácil y naturalmente está por acabarse.

2. *El mito*: Los niños que leen desde muy pequeños serán pequeños genios desagradables.

La realidad: Caramba, creadores de mitos, vamos a ponernos de acuerdo. ¿Los lectores prematuros van a ser tontos o genios? Realmente es sorprendente con cuánta frecuencia la misma persona dirá que el Mito #1 es también el Mito #2. El hecho es que ninguno de los dos es cierto. Dondequiera que hemos visto lectores precoces hemos visto niños bien adaptados, felices, más alegres que otros niños. No sostenemos que la lectura prematura *resuelve* todos los problemas que pueda llegar a tener una criatura, y suponemos que si uno busca suficiente, podrá encontrar un niño que fuera lector precoz y que también sea un niño desagradable. Según nuestra experiencia, habrá que buscar mucho más entre los lectores prematuros que entre los que aprenden a leer en la escuela. Tenemos la seguridad de que hay muchos niños mal adaptados e infelices entre los que *no pueden* leer cuando ingresan a la escuela. De hecho, son muy comunes.

3. *El mito*: El niño que lee desde muy pequeño causará problemas en primero de primaria.

La realidad: Esto no es totalmente un mito; en parte es cierto. Causará problemas en primero. No por él, sino por la maestra. Como las escuelas se hicieron para el bien de la criatura y no para el bien de la maestra haga un esfuerzo para resolver su problema. Diariamente, cientos de excelentes maestras están haciendo eso precisamente, y con facilidad. Son pocas las que, al no estar dispuestas a realizar un poco de esfuerzo, se encargan de hacer circular esta queja. Pero cualquier maestra digna de serlo, puede manejar al lector avanzado en mucho menor tiempo y con mucho menos esfuerzo que los necesarios para afrontar los problemas de la legión de niños que *no pueden* leer. En verdad, una maestra de primer grado de primaria con una clase llena de criaturas que puedan leer y que les encante hacerlo, tendría relativamente pocos problemas. Esta situación también resolvería muchos problemas en el futuro, pues en todos los grados, se dedica mucho tiempo a tratar a los que no leen.

Es muy triste que una maestra de primero de primaria no pueda resolver todos sus problemas (y tiene docenas de ellos) con la misma facilidad con que afronta a un niño que puede leer al llegar al primer grado. Cientos de buenas maestras de primero resuelven este problema sencillamente al darle al niño libros para que los lea mientras lucha por enseñar el alfabeto a sus condiscípulos. Muchas maestras van más allá y hacen que el niño le lea en voz alta a sus condiscípulos. Generalmente el niño disfruta la oportunidad de demostrar su habilidad, y los otros niños sienten menos temor al darse cuente de que pueden leer. Las buenas maestras tienen muchos recursos para resolver este "problema".

¿Qué hacer con las maestras sin imaginación? ¿Este es el problema, o no? Es un problema para *todos* los niños de cualquier clase. Es muy probable que cuando un primer grado tiene una mala maestra el niño que se desempeña mejor en el segundo grado es el que podía leer antes de entrar a la escuela. No necesitaba el primer grado, como los otros niños.

Irónicamente, aun la escuela que más critica a los niños que pueden leer antes de entrar al primer grado, se siente extremadamente orgullosa de un niño que es buen lector en *segundo* grado. Uno de los problemas más fáciles que cualquier maestra razonable de primer grado tiene que resolver es qué hacer con la criatura que sabe leer. El problema más difícil para ella, y el que le toma más tiempo resolver, es el del niño a quien ella *no le puede* enseñar a leer.

Aun si no todo esto fuese verdad, ¿hay quien alegue en serio que deberíamos evitar que una criatura aprendiese a leer para que estuviese al mismo nivel de sus condiscípulos?

4. *El mito:* El niño que aprende a leer desde muy pequeño se aburrirá en el primero de primaria
   La realidad: Éste es el temor que preocupa a la gran mayoría de las madres y es la pregunta más razonable de todas. Para expresarlo con mayor precisión, lo que realmente preguntamos en este caso es: "¿No se aburrirá en primer grado de primaria la criatura que ha aprendido demasiado?"

   La respuesta a esto es que sí, sí hay muchas probabilidades de que se aburra al máximo en primero, *exactamente como cualquier otro niño en primero*. ¿Alguna vez pasó el lector días más largos que los que pasó en primer grado? Hoy en día las escuelas son mucho, mucho mejores de lo que fueron cuando el lector de este libro fue a la escuela. Pero pregunte a cualquier niño de primero cuán largo es un día en la escuela comparado con un sábado o con un domingo. ¿La respuesta quiere decir que no quiere aprender? De ninguna manera, pero cuando los niños de cinco años pueden sostener conversaciones tan complejas como las que sostienen, ¿realmente podríamos esperar que se sintiesen muy vigorizados cuando leen textos tan aburridos como: "Mira el automóvil. Es un bonito automóvil rojo."? El niño de siete años que tiene que leer estas oraciones no sólo puede ver el bonito automóvil rojo, también puede decir quién lo fabrica, el año, el modelo y probablemente la potencia que tiene. Si hay algo más que desee saber sobre el bonito automóvil rojo, pregúnteselo al niño. Sabe más sobre él que usted. Los niños se seguirán aburriendo en la escuela si no les damos material digno de sus intereses.

Suponer que el niño que más sabe será el más aburrido es suponer que el niño que menos sabe será el más interesado y el que menos se aburra. Si la clase no es interesante, únicamente se aburrirán los que no comprenden.

5. *El mito*: El niño que aprende a leer desde muy pequeño no aprenderá la fonética.

La realidad: Puede que no la aprenda pero si no la aprende no perderá nada.Lo anterior puede ser un mal juego de palabras, pero es verdad.

El doctor O.K. Moore, que hemos mencionado anteriormente como uno de los pioneros en enseñar a leer a los niños de tres años, se ha negado a participar en la eterna e inútil discusión entre los que abogan por el método de lectura "mira y repite" y los que defienden el enfoque "fonético". Dice que es una lucha estéril.

Actualmente no existe un método "mejor" para enseñar a leer a los bebés. Ciertamente, no hay un método que excluya a los demás, como no hay uno que enseñe a una criatura a aprender una lengua por medio del oído. Bien se puede preguntar "¿Enseñé a mi hijo a escuchar con el método 'fonético' o con el método 'escucha y oye', o sencillamente lo expuse al lenguaje oral?" También se puede preguntar: "¿Cuán bien lo hizo?" Si aprendió a escuchar y a hablar bien seguramente el sistema es bueno.

Los materiales que usamos en los Institutos para ayudar a los niños a aprender a leer, no tienen magia negra, ni roja tampoco. Son sencillamente un método claro, ordenado y organizado para enseñar a leer a una criatura. Se basan en la comprensión de cómo se desarrolla el cerebro del niño y en la experiencia con muchísimos niños tanto sanos como lesionados. Sencillamente se trata de un método que tiene la virtud de funcionar con un alto porcentaje de niños.

Sí, es cierto: su niño quizá no aprenda la fonética si lo enseña a leer cuando es pequeñito ¿y no sería maravilloso?

6. *El mito*: El niño que lee desde muy pequeño tendrá problemas de lectura.

La realidad: Puede ser, pero es mucho más probable que no tenga ningún problema de lectura y que sí los tenga si aprende a leer a la edad acostumbrada.

Los niños que *pueden* leer no tienen problemas de lectura. Los que los tienen *no pueden* leer.

7. *El mito*: Al niño que lee desde pequeño se le priva de su niñez.

La realidad: De todos los tabús que han inventado respecto a los niños y la lectura, éste es el más tonto. Veamos la vida por un momento y analicemos los hechos, no un grupo de ilusorios cuentos de hadas.

¿El niño de dos o tres años se conserva ocupado cada minuto del día, disfrutando enormemente su tiempo al hacer lo que más le gusta de todo? Lo que más le gusta es pasar todos los minutos posibles ocupado y en compañía de su familia. Nada, absolutamente nada, se puede comparar con la total atención de su familia, y si estuviese en su mano, el niño dispondría que así fuera.

¿Pero qué criatura de nuestra sociedad, de nuestra cultura y de nuestra época ha tenido una niñez así? Los pequeños detalles prácticos se siguen interponiendo. Detalles como quién va a limpiar la casa, quién va a lavar la ropa, quién va a planchar, quién va a cocinar, quién va a lavar los platos, quién va a ir de compras. En la mayoría de los hogares que conocemos, es mamá quien hace todas esas cosas.

A veces, si la mamá es lo suficientemente lista, y si tiene la paciencia suficiente, puede darse el tiempo y la maña para hacer algunas de estas cosas con su hijo de dos años, como introducirlo al maravilloso juego de lavar los platos. Cuando lo hace, es algo muy inteligente.

Sin embargo, la gran mayoría de las madres que conocemos no pueden compartir todas sus tareas con sus hijos. El resultado es que los niños de dos años se pasan un alto porcentaje de su tiempo gritando de angustia para que lo saquen de su corral. La madre simplemente lo tuvo que poner allí para que no se electrocutara, se golpeara, se cortara o se cayera por la ventana mientras ella lograba terminar de hacer algo.

¿Es esta la maravillosa niñez de la que decíamos que se perderá mientras aprende a leer? Sí, ésta es, más o menos, en prácticamente todas las casas que conocemos. Si no es el caso en *su* hogar, y usted es una de las personas que pueden y que le dan atención casi en todo momento del día a su criatura de dos años, entonces pensamos que no tiene de qué preocuparse y que son muchas las probabilidades de que su criatura de dos años ya sepa leer. Uno no puede pasar todo el día, y todos los días, enseñándole a hacer pasteles de lodo.

No hemos encontrado a ninguna madre, por ocupada que esté, que no se haya hecho el propósito de encontrar un momento para pasarlo con su criatura durante todos los días de sus primeros años. El asunto es cómo pasar el tiempo con él de la manera más fructífera, feliz y útil. Ciertamente, no queremos perder un solo minuto que sirva para hacer al bebé más feliz, más capaz y más creativo.

Nosotros, que nos hemos pasado la vida como

miembros del cuerpo de una organización que se ocupa del desarrollo de las criaturas, estamos convencidos de que no hay manera más productiva y alegre para la madre y para su bebé que dedicando algunos minutos juntos cada día en la inducción de la lectura.

La alegría que el padre y el niño experimentan conforme el niño aprende lo que significan las palabras, las oraciones y los libros, no tiene paralelo. Es uno de los mayores logros de una niñez realmente preciosa.

Concluyamos regresando con Millie y con sus padres. En el informe publicado sobre Millie, su padre expuso parte del caso correcta y suscintamente cuando dijo: "Si aprender a leer no hubiese ocupado la mente de la bebé, la hubiese ocupado alguna otra actividad menos fructífera."

La madre de Millie, haciendo uso de sus atributos femeninos, dijo la última palabra, y tal vez lo más importante: "Nos disfrutamos tanto mutuamente que parece que no nos importan los demás, aunque creo que es algo egoísta de nuestra parte."

8. *El mito*: El niño que lee desde muy pequeño sufrirá "demasiada presión."

La realidad: Si este mito significa que es posible ejercer demasiada presión sobre una criatura al enseñarle a leer, entonces es verdadero. También es cierto que podemos ejercer demasiada presión sobre un niño al enseñarle cualquier otra cosa.

Presionar a un niño por la razón que sea es de lo más tonto y nosotros aconsejamos a todos los padres en contra de ello. Así es que no los presionemos. Ahora, la pregunta en este caso es: ¿qué tiene que ver el presionar a un niño con brindarle la oportunidad de aprender a leer? Si el lector decide que le gustaría seguir el consejo de este libro, la respuesta es que no existe relación alguna entre la presión y la manera como debería aprender un niño. De hecho, nosotros no sólo aconsejamos a los padres que *no* presionen a los niños, sino que insistimos en que a menos que tanto los padres como el hijo, tengan buena disposición mental y anhelo de leer, no se le debe *permitir* al niño que lea.

Probablemente haya muchos más relatos de terror sobre las cosas terribles que ocurrirán si uno enseña a leer a una criaturita, pero en toda nuestra experiencia nunca hemos visto un solo resultado desagradable. Todas las espantosas predicciones que hemos escuchado se basan en la falta de comprensión del proceso del desarrollo del cerebro, del cual la lectura debería formar parte.

De acuerdo con esto, podríamos hacer hincapié en uno de los puntos más importantes que este libro pretende establecer. Expresado de manera sencilla, y desde el punto de vista neurológico, la lectura no es, de ningún modo, una materia escolar: es una función cerebral.

La lectura del lenguaje es una función tan cerebral como lo es escuchar el lenguaje.

¿Cuál sería nuestra reacción si, al analizar las materias de la escuela de nuestro hijo, encontrásemos geografía, ortografía, civismo y *audición*?

Con seguridad preguntaríamos: ¿Qué está haciendo aquí la audición, incluida como una materia escolar? La audición, diríamos con seguridad, es algo que hace el cerebro, no se confunda con una materia escolar.

Lo mismo es la lectura.

La ortografía, en cambio, *sí es* propiamente una materia escolar.

Un niño puede ser excelente lector y no necesariamente tener buena ortografía. Son dos cosas diferentes y dos procesos completamente distintos. La lectura es algo que realiza el cerebro, y la ortografía es una materia sobre ciertas reglas que la gente ha inventado para conservar la lectura y la escritura en orden. Cuando una maestra enseña ortografía, transmite datos como un cuerpo de conocimientos que el hombre ha acumulado. Cuando un niño lee, su cerebro no está interesado en los detalles de cómo están construidas las palabras. Su cerebro realmente está interpretando los pensamientos expresados por el escritor.

Que el lector se haga estas dos preguntas:

1. ¿Puede leer alguna palabra que no pueda escribir? Por supuesto que puede: muchas.
2. ¿Puede escribir alguna palabra que no pueda leer? Por supuesto que no. La lectura es una función cerebral, y la ortografía es un conjunto de reglas. Así como podemos leer y comprender palabras que no podemos escribir, podemos leer y comprender palabras que no podemos pronunciar. Los autores de este libro escucharon hace poco a un ilustre profesor con doctorado, pronunciar mal la palabra "epítome". Evidentemente había estado usando correctamente la palabra durante años. Aunque hubiese tenido una enseñanza fonética (y probablemente la tuvo), habría pronunciado mal esa palabra. Sencillamente, la había aprendido a través de la lectura, como aprendemos la mayoría del vocabulario de escasas cien mil palabras que forman un vocabulario normal. ¿Cuántas de esas palabras se enseñan realmente en la escuela? Únicamente un porcentaje muy bajo. Llegamos a la escuela con un amplio vocabulario oral. Nos enseñan a leer algunos miles de palabras más y a escribir otros millares más cuando mucho. Las restantes decenas de miles que hemos llegado a conocer, nos las hemos enseñado nosotros mismos escuchando, leyendo y, muy rara vez, buscando en el diccionario.

Por todo lo expuesto arriba, ¿queremos decir que nos oponemos a que una criatura aprenda ortografía? Por supuesto que no. La ortografía es una materia muy adecuada para la escuela y es muy importante.

Tal vez algún día, en el futuro, todos lleguen a la conclusión de que los niños deberían aprender a leer en el hogar tal como ahora aprenden a escuchar en el hogar. Qué bendición tan grande sería para la madre privilegiada, para la criatura afortunada, para la maestra excesivamente cargada de trabajo (quien entonces podría dedicar su tiempo a transmitir a sus alumnos los excelentes conocimientos que el hombre ha acumulado). Y qué bendición sería también para nuestros sistemas escolares, tan escasos de financiamiento, alojamiento y personal.

Mire a su alrededor y vea quiénes son los *verdaderos* problemas en la escuela.

Mire a los diez mejores niños de cada grupo escolar y vea cuál es el factor común más destacado del grupo. Es fácil: son los mejores lectores.

Los niños que *no leen* son el mayor problema de la educación norteamericana.

7
Cómo enseñar a leer a su bebé

Nosotras las madres, somos las artesanas; nuestros hijos son la arcilla

—WINIFRED SACKVILLE STONER:
Educación natural

La mayoría de las instrucciones empiezan indicando que a menos que se sigan exactamente, no funcionan.

En cambio, es casi seguro que no importa cuan deficientemente ponga a su bebé en contacto con la lectura, lo más seguro es que aprenda más que si no lo pone en contacto con ella; por lo tanto, éste es un juego en el que uno gana en alguna medida, por mal que lo juegue. Tendría que jugar increíblemente mal para no obtener ningún resultado.

Sin embargo, entre más astutamente juegue a enseñar a leer a su bebé, más rápidamente y mejor aprenderá.

Si usted practica correctamente el juego de aprender a leer, tanto usted como su bebé lo gozarán inmensamente.

No se requiere más que media hora al día.

Repasemos los principales puntos sobre los niños antes de discutir cómo enseñarle a leer.

El niño de menos de cinco años de edad:

1. Puede asimilar fácilmente una increíble cantidad de información. Si tiene menos de cuatro años, será más fácil y eficaz; de menos de tres años es más fácil aun y más eficaz; y si tiene menos de dos años será de lo más fácil y eficaz.
2. Capta información a una velocidad sorprendente.
3. Entre más información asimile más se le graba.
4. Tiene una energía increíble.
5. Tiene enormes deseos de aprender.
6. Puede aprender a leer y lo desea.
7. Aprende un idioma completo y puede aprender tantos como se le presenten. Puede aprender a leer un solo idioma o varios a la vez tan fácilmente como comprende el lenguaje oral.

BASES PEDAGÓGICAS

A qué edad empezar

La cuestión de cuándo empezar a enseñar a leer a una criatura es interesante. ¿Cuándo está lista una criatura para aprender algo?

Una vez, una madre preguntó a un famoso evolucionista infantil ¿A qué edad debía empezar a enseñar a su hijo?

"¿Cuándo nacerá su hijo?", preguntó él.

"No, ya tiene cinco años", dijo la madre.

"Señora, corra a casa. Ha desperdiciado los mejores cinco años de la vida de su hijo".

Después de los dos años de edad, leer se vuelve más

difícil cada año. Si su hijo tiene cinco años, será más fácil que si tuviera seis. A los cuatro es más fácil aun, y a los tres es todavía más fácil.

Al año de edad o antes es el mejor momento para empezar, si se desea ahorrar tiempo y energía al enseñar a leer al bebé.

De hecho, el proceso de enseñar al bebé a leer puede iniciarse desde el nacimiento. Después de todo, hablamos a los bebés desde que nacen: esto desarrolla el canal auditivo. También podemos proporcionar lenguaje a través de la vista: esto desarrolla el canal visual.

Hay dos puntos *vitales* al enseñar a un bebé:

1. Nuestra actitud y nuestro método.
2. El tamaño y el orden del material de lectura.

La actitud de los padres

Aprender es la aventura más grandiosa de la vida.

Aprender es deseable, vital, inevitable y, sobre todo, el juego más grandioso y estimulante de la vida.

La criatura lo cree y lo creerá siempre a menos de que la convenzamos de que no es verdad.

La norma principal es que tanto los padres como los hijos deben abordar el aprendizaje de la lectura con la alegría que implica un juego tan grandioso.

Los padres nunca deben olvidar que aprender es el juego más emocionante de la vida; no un trabajo. Aprender es una recompensa; no un castigo. Aprender es un placer; no una obligación. Aprender es un privilegio; no una desgracia.

Los padres siempre deben recordarlo y nunca deben hacer nada que destruya esta actitud natural de la criatura.

Hay una ley que impide el fracaso y que nunca se debe olvi-

dar: si usted o la criatura no lo están disfrutando de lo lindo, no continúe. Usted está haciendo algo mal.

El mejor momento para enseñar

La madre nunca debe practicar este juego a menos que ella y su hijo estén contentos y disfruten de buena condición física. Si un niño está irritable, cansado o hambriento, no es un buen momento para realizar el programa de lectura. Si la madre está insegura o fuera de sí, no es un buen momento para realizar el programa de lectura. En un mal día es mejor no practicar para nada el juego de la lectura.

Toda madre y toda criatura experimentan días con contratiempos o en los que las cosas sencillamente no parecen marchar bien. Los padres que en esos días evitan el programa de lectura, son sabios totalmente conscientes de que hay muchos días más oportunos que los días inestables y que el gozo de aprender a leer aumentará al elegir los mejores momentos para ello.

Nunca intente enseñar algo a su criatura cuando esté cansada, hambrienta o alterada. Descubra qué la molesta y soluciónelo. Entonces podrá volver al placer de enseñarle a leer y de divertirse juntos.

El mejor lapso

Asegúrese de que el lapso en que practique el juego sea muy corto. Al principio se jugará tres veces al día, pero cada sesión debe durar solamente unos segundos.

Respecto a cuando terminar cada sesión de aprendizaje, los padres deben decidir con sensatez.

Siempre termine antes de que el niño quiera terminar.

La madre debe saber que está pensando el niño poco antes de que lo sepa el propio niño, y debe terminar.

Si los padres siempre respetan esto, el niño les rogará que practiquen el juego de la lectura y estarán fomentando el deseo natural de aprender del niño.

La manera de enseñar

Ya sea que la sesión de lectura consista únicamente de cinco palabras, de oraciones o de un libro, el entusiasmo del padre es la clave. A las criaturas les encanta aprender y lo hacen con gran rapidez. Por lo tanto hay que mostrar el material rápidamente. Los adultos hacemos casi todo demasiado lentamente para las criaturas y no existe otra área en la que esto se demuestre más dolorosamente que en la manera como los adultos enseñan a sus bebés. Generalmente esperamos que una criatura se siente y mire fijamente sus materiales para que parezca que está concentrada en ellos. Esperamos que se vea algo triste para demostrar que realmente está aprendiendo. Pero los niños no creen que aprender sea doloroso, son los adultos quienes piensan así.

Cuando muestre sus tarjetas, hágalo rápidamente. Conforme lo hace, irá adquiriendo experiencia. Practique un poco con papá, hasta que usted se sienta segura. Los materiales están diseñados cuidadosamente para que sean grandes y claros de manera que usted los pueda mostrar con gran rapidez y su bebé los vea fácilmente.

Algunas veces, cuando una madre adquiere velocidad tiende a mecanizarse un poco, y pierde el entusiasmo natural y la "musicalidad" de su voz. Es posible conservar el entusiasmo, hablar en buen tono y avanzar con gran rapidez, simultáneamente. Es importante que así lo haga. El interés y el entusiasmo de su bebé por las sesiones de lectura estarán estrechamente relacionados con estas tres cosas:

1. La velocidad con que se muestran los materiales.
2. La cantidad de material nuevo.
3. La alegría de los padres al hacerlo.

La velocidad, por sí sola, puede establecer la diferencia entre una sesión satisfactoria y una demasiado lenta para su ansioso e inteligente bebé.

Las criaturas no miran fijamente; no necesitan hacerlo: asimilan instantáneamente, como las esponjas.

Cómo introducir material nuevo

En este punto es conveniente hablar de la velocidad a la que cada bebé debe aprender a leer, y en general, a aprender cualquier cosa.

John Ciardi escribió para la edición del 11 de mayo de 1963 de la revista *Saturday Review* que se debe dar material nuevo a una criatura "al ritmo del propio y feliz interés de la criatura".

Creo que esto lo resume bien.

No tema seguir el ritmo de su bebé. Es probable que se sorprenda ante el gran interés y la velocidad con que aprende.

Usted y yo fuimos educados en un mundo que nos enseñaba que debíamos aprender veinte palabras a la perfección. Debíamos aprender y pasar una prueba con diez, si no...

En vez del diez sobre veinte, ¿qué le parece el cincuenta por ciento de dos mil? No necesita ser un genio matemático para saber que mil palabras son mucho más que veinte. Pero lo realmente importante no es sólo que los niños pueden retener cincuenta veces más de lo que les ofrecemos. Lo importante es lo que sucede cuando uno muestra la vigésimo primera palabra o la palabra dos mil uno. En ello estriba el secreto de enseñar a los bebés.

En el primer caso, el efecto de introducir la vigésimo-primera palabra (cuando la criatura ha visto las primeras veinte *ad infinitum, ad nauseum*) será hacerlo huir velozmente en la dirección opuesta. Este es el principio básico que sigue la educación oficial. Los adultos somos expertos en lo fatal que puede ser este método. Lo vivimos durante doce años.

En el segundo caso, la palabra dos mil uno es esperada con interés. La alegría de descubrir y aprender algo nuevo se considera un honor y la curiosidad natural y el gusto de aprender inherentes en toda criatura se alimentan adecuadamente.

Desgraciadamente, un método le cierra la puerta al aprendizaje, a veces para siempre. El otro abre un gran portón y asegura que nunca más se cierre.

De hecho, su bebé aprenderá mucho más que el cincuenta por ciento de lo que usted le enseñe. Lo más probable es que aprenda el ochenta o el cien por ciento. Pero si únicamente aprende el cincuenta por ciento de lo que usted le ofrece, de todas maneras será intelectualmente sano y feliz.

Después de todo, ¿no se trata de eso?

La constancia

Conviene que tanto usted como su material estén organizados antes de empezar, porque una vez que empiece querrá establecer un programa constante. Un programa sencillo realizado alegre y constantemente será mucho mejor que un programa demasiado ambicioso que sobrecargue de trabajo a la madre y, por lo tanto, se realice muy esporádicamente. Un programa discontinuo no será eficaz. Para dominar los materiales es vital verlo repetidamente. El gozo de su bebé se deriva del verdadero aprendizaje y ello se puede lograr mejor con un programa cotidiano.

Sin embargo, a veces es necesario dejar el programa durante algunos días. Ello no será problema si no sucede con demasiada frecuencia. Rara vez será indispensable dejarlo durante varias semanas o meses: por ejemplo, con la llegada de un bebé nuevo, un cambio de casa, un viaje, o una enfermedad en la familia que causen alteraciones en la rutina cotidiana. Durante estos contratiempos es mejor posponer totalmente el programa. Utilice estas ocasiones para leerle a su bebé, para lo cual sólo necesita ir a la biblioteca una vez por semana y un rato tranquilo para la lectura al día. No intente realizar medios programas durante estos periodos. Sería frustrante tanto para usted como para la criatura.

Cuando estén listos para reiniciar un programa constante, reinicie exactamente donde se quedó. No retroceda y jamás empiece desde el principio.

Ya sea que decida realizar un programa sencillo o uno extenso, sea constante. Verá como crece diariamente el gozo y la confianza de su bebé.

Preparación del material

El material para enseñar a leer a su bebé es sencillísimo. Se basa en muchos años de trabajo de un gran equipo de evolucionistas del cerebro infantil que estudió como crecen la mente y sus funciones. Está diseñado con el pleno conocimiento de que leer es una función *cerebral*. Reconoce las capacidades y limitaciones del aparato visual del bebé y está diseñado para satisfacer todas sus necesidades, desde su visión incipiente hasta la mejor visión, desde la función cerebral hasta el aprendizaje cerebral.

Todo el material se debe hacer en cartulina blanca lo suficientemente dura para soportar el manejo, no siempre delicado que recibirá.

Necesitará una buena provisión de cartulina blanca

cortada en tiras de 10 cms por 60 cms. Si es posible cómprelas cortadas de este tamaño. Así se evitará el trabajo de cortar mucho, lo cual ocupa más tiempo que escribir las palabras.

También necesitara un marcador grande de tinta roja y punta de fieltro. Obtenga la punta más gruesa que encuentre: entre más gruesa mejor. Ahora escriba una palabra en cada tira de cartulina. Las letras deben medir 7.5 cms de alto. Use letras minúsculas, salvo en el caso de los nombres propios, que por supuesto siempre empiezan con mayúscula. De no ser así, use siempre letras minúsculas, dado que así se escriben siempre en los libros.

Asegúrese de que las letras sean muy anchas. El trazo debe ser de 1.75 cms de ancho o más. Esto es importante porque ayuda a que su bebé vea la palabra con mayor facilidad.

Escriba con claridad y limpieza. Use letras de molde, nunca letra manuscrita. Distribuya la palabra de manera que deje un margen de aproximadamente 1.75 cms alrededor de ella. Esto dejará un espacio para colocar los dedos cuando sostenga la tarjeta para mostrarla:

Algunas madres se esmeran mucho y usan esténciles para hacer sus tarjetas. Así se logra hacer tarjetas muy bonitas; sin embargo, el tiempo que se requiere es demasiado. El tiempo vale oro. Las madres deben emplear su tiempo con mayor cuidado que los miembros de cualquier otra profesión. Necesita idear una manera rápida y eficaz para hacer sus tarjetas de lectura porque va a necesitar muchas.

La limpieza y la legibilidad son mucho más importantes que la perfección. Con frecuencia, las madres descubren que los padres pueden hacer tarjetas muy bonitas y que les gusta participar en el programa de lectura.

Escriba siempre de la misma manera. Su hijo necesita una información visual sólida y segura. Esto lo ayudará mucho.

Al reverso de la tarjeta, en la esquina superior izquierda, escriba nuevamente la misma palabra. Escríbala del tamaño que sea fácil de leer para usted.

Puede escribirla con lápiz o pluma. Lo va a necesitar cuando esté enseñando. De otra manera tendría que ver el anverso de cada tarjeta antes de mostrarla a su hijo; ello lo distraería y disminuiría la velocidad con la que usted puede mostrarle las tarjetas. El primer material es con letras grandes minúsculas en tinta roja y progresivamente cambia a letras minúsculas negras del tamaño normal. Primero son grandes porque el canal visual inmaduro no puede distinguir tipos pequeños y de hecho se desarrolla con el uso. El tamaño puede y debe irse reduciendo conforme madura el canal.

Al principio se usan letras grandes por la sencilla razón de que son más fáciles de ver. Son rojas únicamente porque el rojo atrae la atención del pequeño. Para empezar, puede ser más sencillo para usted comprar un paquete hecho. Puede adquirir el paquete "Teach Your Baby to Read Kit" si escribe a:

The Better Baby Press
8801 Stenton Avenue
Philadelphia, PA 19118
U.S.A.

Una vez que empiece a enseñar a leer a su bebé, descubrirá que rebasa el material nuevo con gran rapidez. No importa con cuanta frecuencia hagamos énfasis a los padres sobre este punto; siempre se sorprenden ante la rapidez con que aprenden sus bebés.

Hace mucho tiempo descubrimos que es mejor empezar con ventaja. Por ello, haga por lo menos doscientas palabras antes de que empiece a enseñar a su bebé. Así tendrá una buena reserva de material a la mano, listo para su uso. Si no lo hace, siempre estará rezagada. La tentación de seguir mostrando las mismas palabras viejas una y otra vez es muy fuerte. Si los padres sucumben a esta tentación, predeterminan el desastre de su programa de lectura. El único error que la criatura no tolerará es que se le muestre una y otra vez el material que debió ser retirado hace mucho tiempo.

Recuerde que el pecado capital es aburrir al pequeño.

Alerta inicie con el material preparado de antemano y conserve su ventaja. Y si por alguna razón se retrasa en la preparación del material, no cubra el error mostrando de nuevo las palabras viejas. Detenga el programa durante un día o una semana hasta que haya organizado y preparado material nuevo; entonces reinicie donde se quedó.

La preparación del material puede y debe ser muy divertida. Si usted prepara el material para el mes siguiente lo será. Si usted prepara el material para el día siguiente no será divertido.

Inicie con ventaja, conserve la ventaja, deténgase y reorganice si es necesario, pero no muestre el material viejo una y otra vez.

Resumen: las bases de la enseñanza eficaz

1. Empiece a la edad más temprana posible.
2. Conserve la alegría todo el tiempo.
3. Respete a su bebé.
4. Enseñe únicamente cuando usted y su bebé estén contentos.
5. Deténgase antes de que su bebé desee detenerse.
6. Muestre los materiales con rapidez.
7. Introduzca material nuevo con frecuencia.

8. Haga su programa con constancia.
9. Prepare su material cuidadosamente y conserve la ventaja.
10. Recuerde la ley del éxito.

EL CAMINO DE LA LECTURA

El camino que seguirá ahora para enseñar a su hijo es sorprendentemente sencillo. Ya sea que lo inicie con un bebé o con un niño de cuatro años, el camino básicamente es el mismo.

Los pasos de este camino son los siguientes:

Primer paso	Sólo palabras
Segundo paso	Pares de palabras
Tercer paso	Frases
Cuarto paso	Oraciones
Quinto paso	Libros

EL PRIMER PASO (Sólo palabras)

El primer paso para enseñar a leer a su bebé se da con el uso de quince palabras solamente. Cuando su bebé haya aprendido estas quince palabras estará listo para continuar con otros vocabularios.

Inicie a una hora del día en la que la criatura sea receptiva, esté descansada y de buen humor.

Trabaje en una parte de la casa con el menor número posible de distractores, tanto en el sentido auditivo como en el visual; por ejemplo, no tenga la radio encendida y evite otras fuentes de ruido. Use el rincón de un cuarto que no tenga mucho mobiliario, cuadros u otros objetos que puedan distraer la vista de la criatura.

Ahora empieza la diversión. Sencillamente muestre la palabra *mamá*, justo fuera del alcance de la criatura y dígale claramente: "aquí dice *mamá*".

No dé más detalles a su bebé. No hay necesidad. Permita que vea la palabra durante no más de un segundo.

Enseguida, muestre la palabra *papá* y de nuevo diga con entusiasmo: "aquí dice *papá*".

Muestre otras tres palabras exactamente de la misma manera como mostró las dos primeras. Al mostrar un juego de tarjetas es mejor tomarlas del final del paquete que del principio del mismo. Esto le permite ver la esquina superior izquierda de cada tarjeta en donde usted escribió la palabra. Esto significa que al momento en el que usted le dice la palabra a su bebé, puede prestar atención a su rostro. Esto es ideal porque usted desea prestar toda su atención y entusiasmo a la criatura más que ver el anverso de la tarjeta al mismo tiempo que él. *No le pida* a su bebé que repita las palabras conforme avanza. Después de la quinta palabra, dé un gran abrazo a su bebé y béselo; demuéstrele su afecto de las maneras más evidentes. Dígale cuán maravilloso e inteligente es.

Repita este procedimiento tres veces durante el primer día, exactamente de la misma manera como se describió arriba. Las sesiones deben tener por lo menos media hora de intervalo.

Ha terminado el primer día y usted ha dado el primer paso para enseñar a leer a su bebé. (A lo sumo, ha invertido tres minutos hasta este momento.)

El segundo día repita tres veces la sesión básica. Añada un segundo juego de cinco palabras nuevas. Este nuevo juego debe ser visto tres veces a lo largo del día, exactamente como el primer juego, de manera que haya un total de seis sesiones.

Al final de cada sesión dígale a su bebé que es muy bueno e inteligente. Dígale que está muy orgullosa de él y que lo quiere mucho. Es bueno abrazarlo y expresarle su amor físicamente.

No lo soborne o recompense con galletas, dulce o algo semejante. El aprenderá a tal velocidad, en tan corto tiempo, que a usted no le alcanzará el dinero para comprar tantas galletas, ni la salud de su bebé lo soportaría. Además, las galletas son una recompensa muy pobre para tan grande logro, comparadas con su amor y respeto por él.

Los niños aprenden a la velocidad del rayo y si usted les muestra las palabras más de tres veces al día, los aburre. Si usted muestra la misma tarjeta a su bebé durante más de un segundo, se distrae.

Al tercer día, añada un tercer juego de cinco palabras nuevas.

Ahora está enseñando a leer a su hijo tres juegos de palabras, cinco palabras en cada juego, cada juego tres veces al día. Usted y su hijo están disfrutando ahora de un total de nueve sesiones de lectura distribuidas a lo largo del día, que suman pocos minutos en total.

Las primeras quince palabras que usted enseña a su hijo deben ser las más conocidas y agradables para él. Estas palabras deben incluir los nombres de los miembros de la familia que él más quiera, los parientes, las mascotas, los alimentos, los objetos del hogar y las actividades que conozca. Es imposible incluir aquí una lista exacta dado que las primeras quince palabras de cada bebé serán personales y por ello diferentes.

El único signo de alarma de todo el proceso de aprender a leer es el aburrimiento. *Nunca aburra al bebé. Es mucho más probable que se aburra si el avance es demasiado lento que si es demasiado rápido*. Recuerde que su inteligente pequeño puede aprender, digamos, portugués al mismo tiempo, así es que no lo aburra. Piense en la maravilla que usted acaba de lograr. Su bebé acaba de hacer la conquista más difícil de todo este asunto de leer, y no es una exageración decir que de todo el asunto de aprender, pues la lectura es la base misma del aprendizaje.

Con la ayuda de usted ha logrado dos cosas extraordinarias:

1. Ha aumentado su canal visual, y, lo más importante, ha enseñado a su mente a diferenciar entre uno y otro símbolos escritos.
2. Ha dominado una de las abstracciones más difíciles de su vida: puede leer palabras.

Un comentario sobre el alfabeto. ¿Por qué no empezamos por enseñarle el alfabeto a este niño? La respuesta es sumamente importante.

Un principio básico de toda enseñanza es que debemos empezar con lo conocido y concreto, continuar de allí hacia lo nuevo y desconocido y, al final, hacia lo abstracto.

Nada más abstracto para el cerebro de un niño de dos años que la letra *b*. Es un tributo al genio de los niños que lo lleguen a aprender.

Es obvio que si el niño de dos años pudiera argumentar con bases razonables, hace mucho tiempo que le habría aclarado esta situación a los adultos.

Si ése fuese el caso, cuando le presentáramos la letra *b* preguntaría: "¿por qué eso es *b*?"

¿Cuál sería la respuesta?

"Bueno", diríamos, "es *b* porque...mmm... porque, no ves que es *b* porque... bueno, porque es necesario inventar este... mmm símbolo para... mmm... representar el sonido *b* que... mmm... también hemos inventado para que... mmm..."

Y así seguiría más o menos lo que diríamos.

Al final, lo más segura es que la mayoría de nosotros dijera: "Es *b* porque soy mayor que tú, por eso es *b*."

Y tal ves ésta sea una razón tan buena como cualquiera otra para que *b* sea *b*.

Felizmente, no hemos tenido que explicarlo a los niños, pues, mientras que probablemente no puedan comprender por qué *b* es *b*, sí saben que somos mayores que ellos, y sentirían que esta razón es suficiente.

De cualquier manera, se las han ingeniado para

aprender estas veintiocho abstracciones y las además, las veintiocho abstracciones auditivas que las acompañan.

Esto no suma cincuenta y seis combinaciones posibles de sonido e imagen, sino que suma casi un número infinito de combinaciones posibles.

Los niños aprenden todo esto aunque se los enseñamos a los cinco o seis años de edad, cuando empieza a ser mucho más difícil para ellos aprenderlo.

Por fortuna, somos lo suficientemente sabios para no tratar de iniciar a los estudiantes de leyes, medicina o ingeniería con tales abstracciones, porque, como los niños, nunca sobrevivirían a esa experiencia.

Lo que su bebé ha logrado captar en el primer paso, *la diferenciación visual*, es muy importante.

Leer letras es muy difícil porque nadie ha podido comer, atrapar, usar o abrir una *b*. Podemos comer un *plátano*, atrapar una *pelota*, usar un *bastón*, o abrir un *libro*. En cambio, las letras que forman la palabra *pelota* son abstractas, la pelota en sí no lo es y por lo tanto es más fácil aprender la palabra *pelota* que aprender la letra *b*.

Asimismo, la palabra *pelota* se diferencia mucho más de la palabra *nariz* que la letra *b* de la letra *c*.

Estos dos hechos hacen que sea mucho más fácil leer palabras que leer letras.

Las letras del alfabeto *no* son las unidades de la lectura y la escritura: los sonidos aislados tampoco son las unidades de lo que hablamos y escuchamos. Las *palabras* son las unidades del lenguaje. Las letras no son más que el material de la construcción técnica dentro de las palabras, tal como la arcilla, la madera y la roca son los materiales para construir un edificio. Los ladrillos, las tablas y las piedras son las verdaderas unidades de la construcción de las casas.

Mucho después, cuando la criatura lea bien, le enseñaremos el alfabeto. Para entonces podrá ver por qué es necesario que el hombre invente un alfabeto y por qué necesitamos las letras.

Empezamos a enseñar a leer palabras a un bebé al usar su nombre, los nombres de sus familiares y las palabras sobre sí mismo, porque el pequeño aprende primero sobre su propia familia y sobre su cuerpo. Su mundo empieza en el interior y sale paulatinamente hacia el exterior, hecho conocido desde hace mucho tiempo por los educadores.

Hace muchos años, un inteligente evolucionista infantil expresó algo a través de unas letras mágicas, que ayudó mucho para que la educación mejorara. Estas letras eran V. A. T. (visual, auditivo y táctil). Dio énfasis al hecho de que las criatura aprendían a través de una combinación: ver (V), oír (A) y tocar (T). Y, sin embargo, las madres siempre han jugado y dicho cosas como: "éste es el dedo chiquito y bonito, y éste su compañerito, éste es el señor de los anillos,..." al sostener los dedos para que la criatura los pueda ver (visual), al decir las palabras para que la criatura las pueda escuchar (auditivo) y al apretar los dedos para que la criatura los pueda sentir (táctil).

De cualquier modo, iniciamos con palabras sobre la familia y sobre sí mismo.

mano	cabello	pierna	hombro
rodilla	codo	ojo	ombligo
pie	oído	boca	dedo
cabeza	brazo	codo	dientes
nariz	oreja	labios	lengua

Las partes del cuerpo

He aquí el método que usted debe usar de aquí en adelante al incluir palabras nuevas y excluir las viejas:

sencillamente quite una palabra de cada juego de tarjetas que haya enseñado durante cinco días y sustitúyala por una nueva. Ya le ha mostrado los primeros tres juegos de tarjetas durante una semana, así es que ahora usted puede empezar a sacar una palabra vieja de cada juego y meter una nueva cada día. Dentro de cinco días, retire una palabra vieja de cada uno de los dos juegos de tarjetas que acaba de añadir. De aquí en adelante, usted debe añadir diario una palabra nueva y retirar una palabra vieja de cada juego de tarjetas. A este proceso de quitar palabras viejas le llamamos "retiro". Sin embargo, cada palabra retirada volverá a usarse más tarde, cuando lleguemos a los pasos *segundo, tercero, cuarto* y *quinto,* como pronto veremos.

Las madres descubren que si escriben la fecha con lápiz al reverso de las tarjetas de lectura, pueden identificar y retirar fácilmente las palabras que han mostrado durante más tiempo.

PROGRAMA DIARIO

Contenido diario:	cinco juegos de tarjetas
Una sesión:	un juego (5 palabras) que se muestra una vez
Frecuencia:	cada juego 3 por día
Intensidad:	palabras rojas de 7.5 cms
Duración:	5 segundos
Palabras nuevas:	5 diarias (una en cada juego de tarjetas)
Promedio de vida de cada palabra:	3 sesiones diarias por 5 días = 15 veces
Principio:	siempre termine antes de que su bebé lo desee

En resumen, usted enseñará veinticinco palabras diarias divididas en cinco juegos de tarjetas de cinco palabras cada uno. Su bebé verá cinco palabras nuevas cada día o una palabra nueva en cada juego de tarjetas, y usted quitará cinco palabras cada día.

Evite presentar consecutivamente dos palabras que empiecen con la misma letra. *Cabeza, cabello* y *codo* empiezan con la letra *c*, y por lo tanto, no debe enseñarlas consecutivamente. El bebé puede saltar a la conclusión de que *cabeza* es *cabello* porque ambas palabras empiezan con la letra *c* y tienen apariencia semejante. Están más expuestos a cometer este error los bebés a quienes ya se les enseñó el alfabeto. Saber el alfabeto le causa pequeñas confusiones a las criaturas. Al enseñar la palabra *ojo*, por ejemplo, las madres pueden encontrar el problema de que su hijo reconozca a su vieja amiga, la *o*, y se emocione por ello, en vez de leer la palabra *ojo*.

Nuevamente se debe recordar la regla principal de no aburrir nunca a la criatura. Si se aburre es muy probable que usted vaya con demasiada lentitud. El bebé debe aprender rápidamente y pedirle que jueguen un poco más.

Si usted aplica bien el método, el bebé aprenderá cinco palabras nuevas por día, aunque podría alcanzar un promedio de diez diarias: si usted trabaja con entusiasmo y eficacia, puede aprender más.

Cuando su bebé haya aprendido las palabras personales, usted está preparada para el próximo paso en el proceso de la lectura. El ha superado dos de los pasos más difíciles al leer. Si hasta ahora ha tenido éxito, a usted le será difícil evitar que lea. A estas alturas, tanto los padres como los hijos deben estar practicando este juego con gran placer. Recuerde, usted está fomentando en su bebé un amor al aprendizaje que se multiplicará a lo largo de su vida. Mejor dicho, usted está reforzando un anhelo nato por aprender que no desaparecerá, pero que se puede desviar hacia canales negativos o inútiles en la criatura. Juegue con alegría y entusiasmo. Ahora usted está preparada para añadir nombres de objetos familiares en el ambiente de su bebé.

El vocabulario sobre el hogar

El vocabulario sobre el hogar consiste en los nombres de los objetos comunes del hogar: los de la casa, los alimentos, los animales y las actividades que su hijo practica habitualmente.

Para este momento la criatura conocerá un vocabulario de veinticinco a treinta palabras. En este punto a veces existe la tentación de repasar las palabras viejas. Resístala. A su bebé le parecerá aburrido. A los niños les encanta aprender palabras nuevas pero no les gusta repasar las viejas. También puede sentir la tentación de poner a prueba a su bebé; no lo haga.

Los exámenes siempre le provocan tensión a los padres y los hijos la perciben inmediatamente. Es probable que asocien la tensión y lo desagradable con el aprendizaje. Hablaremos de los exámenes con más detenimiento en el próximo capítulo.

En cada oportunidad asegúrese de demostrar a su bebé cuanto lo ama y lo respeta.

Las sesiones de lectura deben ser siempre motivo de risa y de afecto; así se convierten en la recompensa perfecta al gran esfuerzo que realizan tanto usted como su bebé.

silla	mesa	puerta
ventana	pared	cama
tina	estufa	sillón
televisión	sofá	baño

Los objetos

A esta lista debe añadirle o quitarle lo necesario para

que refleje el ambiente de la casa y de los artículos específicos de su familia.

Ahora siga alimentando el feliz apetito de su hijo con palabras de objetos que le pertenecen.

Pertenencias (objetos personales del bebé)

taza	camión	sábana	calcetines
aros	zapatos	cuchara	pijamas
cepillo	almohada	triciclo	biberón

Alimentos

jugo	leche	naranja	pan
fresa	agua	zanahoria	papa
huevo	manzana	plátano	atole

Animales

elefante	jirafa	hipopótamo	ballena
gorila	dinosaurio	rinoceronte	araña
perro	tigre	víbora	zorro

Como en las categorías anteriores, estas listas deben cambiarse para reflejar los objetos personales de su hijo y las cosas que le gustan.

Evidentemente, la lista variará dependiendo de la edad de su bebé; no será igual cuando tenga meses que cuando tenga algunos años.

Enseñe las palabras a su bebé exactamente de la misma manera como hasta ahora. Esta lista puede variar de diez a cincuenta palabras, como lo elijan los padres y la criatura.

La lista de lectura (que en este punto puede ser de cincuenta palabras) está compuesta totalmente de nombres. El próximo grupo del vocabulario del hogar refleja acción y consecuentemente contiene verbos por primera vez.

Acciones

beber	dormir	leer	gatear
comer	caminar	lanzar	trepar
correr	saltar	nadar	reír

Para hacer más divertido este juego de palabras, conforme enseña cada palabra, la madre ilustra el acto, por ejemplo, saltando y diciendo: "Mami salta." Después hace que la criatura salte y dice: "Tú saltas." Entonces la madre muestra a su bebé la palabra y dice: "Esta palabra dice *saltar*." De esta manera recorrerá todas las palabras que indican acción. A la criatura le gustará esto especialmente porque incluye a la madre (o al padre), a sí mismo y al aprendizaje.

Cuando su bebé haya aprendido el vocabulario básico de su casa estará listo para seguir adelante.

Para este momento estará leyendo más de cincuenta palabras y tanto usted cómo el bebé estarán encantados. Se deben señalar dos puntos antes de continuar al próximo paso, que es el principio del fin en el proceso de aprender a leer.

Si los padres emprendieron la enseñanza de su bebé sólo por placer (que es lo ideal) más que por obligación o deber (que al fin de cuentas no es razón suficiente), entonces tanto los padres como los hijos deben estar gozando mucho las sesiones diarias.

John Ciardi, en la editorial mencionada, dijo sobre una criatura: "...si ha sido amada (que básicamente significa: si los padres han jugado con ella y han encontrado un placer sincero en el juego)...". Esta es una descripción óptima del amor: jugar y aprender con una criatura; y los padres deben recordarlo mientras enseñan a un bebé a leer.

El siguiente punto que deben recordar los padres es que los niños son sumamente curiosos respecto de las palabras, sean escritas u orales. Cuando una criatura expresa interés en una palabra, por la razón que sea, conviene escribírsela y añadirla a su vocabulario. Aprenderá rápida y fácilmente cualquier palabra que le haya interesado.

Por lo tanto, si una criatura pregunta: "Mami, ¿qué es un rinoceronte?" o "¿qué significa microscopio?" conviene responder cuidadosamente la pregunta y después escribir la palabra, y así, añadirla a su vocabulario de lectura.

Sentirá un orgullo particular y obtendrá más placer al aprender a leer las palabras que ha descubierto por sí misma.

EL SEGUNDO PASO (Los pares de palabras)

Una vez que el bebé haya adquirido el vocabulario de básico de lectura formado por palabras sueltas, está listo para unir esas palabras y formar pares (combinaciones de dos palabras).

Este es un paso intermedio importante entre las palabras sueltas y las frases. Los padres crean un puente entre los tabiques básicos de la construcción de la lectura (palabras sueltas) y la siguiente unidad de organización (la oración). Por supuesto, la habilidad para leer todo un grupo de palabras relacionadas entre sí, llamado oración, es el próximo objetivo. Sin embargo, este paso intermedio de los pares ayudará a la criatura a avanzar con pasos fáciles hacia el siguiente nivel.

Ahora la madre repasa el vocabulario de su bebé y decide que pares puede formar con las palabras que ya le enseñó. Pronto descubrirá que necesita algunas palabras modificadoras en el vocabulario de su bebé para poder formar pares con sentido.

Un sencillo grupo de palabras muy útiles y fáciles de enseñar son los colores:

Colores

rojo	café	violeta	azul
anaranjado	verde	negro	rosa
amarillo	morado	blanco	gris

Estas palabras pueden hacerse con cuadros de cada color al reverso de cada tarjeta. La madre puede enseñar la palabra de lectura y girar la tarjeta para mostrar el color de que se trata.

Los pequeños aprenden los colores rápida y fácilmente y les da mucho gusto señalarlos dondequiera que van. Después de enseñar los colores básicos existe todo un mundo de tonos que aprender (índigo, dorado, plateado, cobrizo, castaño, etc.).

Una vez que ha introducido estos colores sencillos, la madre puede formar el primer juego de pares de su bebé:

lima limón	**dedo rosa**
ojos azules	**zapatos negros**
uvas violeta	**camión rojo**
cabello castaño	**estufa blanca**
plátano amarillo	**manzana verde**

Cada uno de estos pares tiene la gran virtud de que la criatura conoce ambas palabras por separado. El par contiene dos elementos básicos satisfactorios para el bebé. Algo que disfruta es ver las palabras viejas que ya conoce. Además, a pesar de que ya conoce esas dos palabras, ahora ve que sus dos palabras viejas combinadas crean una idea nueva. Para la criatura esto es emocionante: le abre la puerta a la comprensión de la magia de la página impresa.

Divida los pares que ha creado en dos juegos de cinco pares cada uno. Muestre cada juego tres veces al día durante cinco días (o menos). Después de los cinco días, retire un par de cada juego y añada un par nuevo a cada juego. Siga añadiendo un par nuevo a cada juego y retire uno viejo cada día.

Conforme la madre practica este paso, sentirá la necesidad de más modificadores, que se enseñan mejor en pares de opuestos:

Opuestos

grande	pequeño	gordo	flaco
limpio	sucio	suave	áspero
bonito	feo	largo	corto
derecha	izquierda	feliz	triste
vacío	lleno	oscuro	claro

Según la edad y experiencia de la criatura será necesario o no introducir estas tarjetas con una ilustración al reverso de las misma para ilustrar la idea. "Grande" y "pequeño" son ideas muy sencillas para un bebé. ¿Qué bebé no reconoce inmediatamente cuando a su hermano o hermana mayor le dan algo "más grande" que a él? Los adultos vemos estas ideas como abstracciones y lo son pero estas ideas precisamente son las que escucha constantemente el bebé y las capta con mucha rapidez cuando le son presentadas de manera lógica y directa. Estas ideas están íntimamente relacionadas con su vida diaria, por lo tanto, por así decirlo, están muy cerca de su corazón.

Ahora podemos presentar los siguientes:

Pares

taza vacía	taza llena
silla grande	silla pequeña
mamá feliz	mamá triste

cabello largo	**cabello corto**
camisa limpia	**camisa sucia**
mano derecha	**mano izquierda**

EL TERCER PASO (Frases)

Saltar de los pares a las oraciones es un paso muy sencillo. Damos este paso agregando un verbo a los pares para crear una oración básica muy corta.

Mamá salta
Memo lee
Papá come

Con un vocabulario básico de entre cincuenta y setenta y cinco palabras son muchas las combinaciones posibles. Hay tres maneras excelentes de enseñar frases sencillas y una madre sabia usará no una sino las tres.

1. Con base en las tarjetas de verbos que hizo, haga otras tantas pero esta vez escriba el verbo en la tercera persona del singular. Por ejemplo, si el verbo es *saltar*, esta vez escriba *salta*, si el verbo es *leer*, en la tarjeta nueva escriba *lee* y así sucesivamente con todas las tarjetas de verbos. Ahora forme un juego de cinco tarjetas con nombres de personas o animales y un juego de cinco tarjetas con los verbos en tercera persona del singular. Elija una tarjeta con nombre y una tarjeta con verbo en tercera persona del singular para formar oraciones básicas muy cortas. Léale

la oración al bebé; deje que elija una palabra de cada juego y forme una oración. Entre los dos, formen de tres a cinco oraciones. Después guarde los juegos de tarjetas. Pueden repetir el juego tantas veces como el niño lo desee. Recuerde: hay que cambiar los nombres y los verbos con frecuencia para conservar el interés del juego.

Mamá come
Papá duerme
María ríe
Pepe corre
Ana trepa

La elección de la madre:

Ana trepa

La elección del bebé:

Pepe corre

2. Con sus tarjetas de cartulina de diez cms por 60 cms escriba un juego de cinco oraciones. Tendrá que escribir con letras más chicas para que quepan tres o cuatro palabras en cada tarjeta. Esta vez escriba las letras de cinco cms de alto en vez de 7.25. Al escribir, asegúrese de no amontonar las palabras. Deje espacio suficiente entre cada palabra para que sea clara. Muestre las tarjetas tres veces al día durante cinco días (o menos). Después añada dos oraciones nuevas y retire dos oraciones viejas cada día. Su bebé las aprenderá con

gran rapidez, así es que cambie las oraciones nuevas tan rápidamente como sea posible.

El elefante come ¦ 5 cm | 10 cm

3. Haga un libro de oraciones básicas cortas. Este libro debe estar formado de cinco oraciones con una ilustración sencilla para cada oración. El libro debe medir 20 cms por 45 cms con letras rojas de 5 cms Las páginas impresas deben ir antes de las ilustraciones respectivas y estar separadas. Es conveniente usar este primer libro como un diario sencillo de su bebé.

Puede ilustrar fácilmente el nuevo libro con fotografías de su bebé realizando cada una de las actividades. Este pequeño libro será el primero de una larga serie de libros que marcan el crecimiento, el desarrollo, la vida y las etapas de su bebé. Naturalmente, todos los niños que tienen la fortuna de tener una madre que se da tiempo para hacer estos libros los aprecian mucho. Cada libro es al principio como un librito modesto de diez páginas que la madre le lee a su bebé dos o tres veces al día durante algunos días. Entonces la madre introduce un capítulo nuevo con el mismo vocabulario básico.

Estos maravillosos diarios caseros de la vida del bebé constituyen una manera original y útil de usar el gran número de fotografías que toda madre le toma a su bebé durante años.

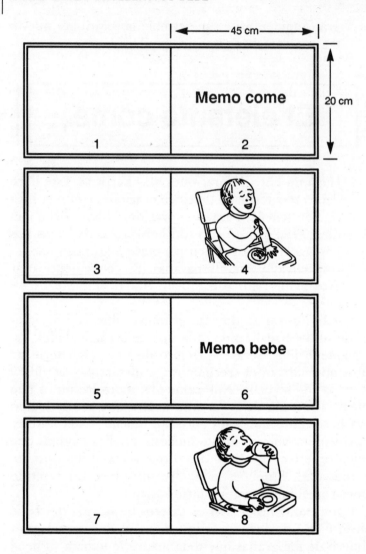

etc.

EL CUARTO PASO (Oraciones más largas).

De hecho, las oraciones básicas cortas que acabamos de ver son oraciones completas. Pero ahora la criatura está lista para dar el paso más importante después del que dio al diferenciar palabras sueltas. Ahora está lista para leer oraciones más largas que expresan un pensamiento completo más complejo.

Si pudiésemos comprender únicamente las oraciones que hemos visto con anterioridad, nuestra capacidad para leer sería evidentemente limitada. Todo el anhelo al abrir un libro nuevo se basa en descubrir qué nos tiene que decir el libro que nunca hemos leído antes.

Reconocer palabras aisladas y darse cuenta de que representan un objeto o una idea es un paso fundamental para aprender a leer. Reconocer que las palabras, al ser usadas en una oración, pueden representar una idea más compleja, es un importante paso vital hacia adelante.

Ahora podemos usar los mismos procedimientos básicos que usamos al empezar con las oraciones cortas. Sin embargo ahora rebasamos las oraciones de tres palabras. En vez de elegir cinco nombres y cinco verbos para hacer la oración corta "La mamá come", ahora añadimos cinco objetos y escribimos "La mamá come un plátano".

Una vez más, necesitamos un juego de tarjetas con las palabras "El", "La", "un", "una". No es necesario enseñarlas por separado pues el bebé las aprenderá dentro del contexto de la oración, donde tiene su razón de ser y dan sentido a la misma; fuera de contexto no tienen interés para el bebé.

Si bien usa la palabra "el" en su conversación diaria, y por lo tanto la entiende, como palabra aislada ni la usa, ni tienen sentido. Por supuesto, es vital para la lectura que la *reconozca* y la *lea* como palabra separada, pero no es necesario que sea capaz de definirla. De la misma manera, todos los niños hablan correctamente mucho antes de saber las reglas gramaticales. Además, ¿cómo podría explicar lo que significa "el", aun a un niño de diez años de edad? Así es que no lo haga. Solamente asegúrese de que la pueda leer.

Cuando haya formado oraciones de cuatro palabras con los tres métodos descritos en el tercer paso, puede añadir modificadores (adjetivos y adverbios) que den vida a una oración:

Nuevamente, conforme añade nuevas palabras necesitará disminuir el tamaño de las letras a 3.5 cms. Dé a cada palabra el espacio suficiente, o, si es necesario, haga tarjetas de más de 45 cms.

Si ha jugado constantemente con su bebé el juego de hacer oraciones habrá notado que le encanta hacer oraciones absurdas o ridículas.

El	elefante	bebe	sopa
Papá	abraza	la	fresa
Memo	se	sienta	en	el	ombligo

Esto la debe inspirar para hacer lo mismo. Es triste tener que aceptar que nuestra educación oficial es tan monótona y estéril que, sin darnos cuenta, evitamos la comicidad y lo absurdo al enseñar. Nos recordaron con tanta frecuencia que "no fuésemos tontos" o que "no fuésemos ridículos" que suponemos que divertirse al enseñar o al aprender es una violación a la ley. Esta noción es el alma misma de lo absurdo pues divertirse es aprender, y aprender es divertido. *Entre más diversión más aprendizaje.*

Una buena sesión formando oraciones generalmente sorprende a la madre y al bebé compitiendo por ver quien forma las combinaciones más descabelladas y termina con gran cantidad de abrazos y alegría.

Como cada oración que están creando o escribiendo en las tarjetas o en los libros está formada de palabras sueltas que ha enseñado previa y cuidadosamente, es probable que su bebé las pase con gran rapidez.

Es conveniente que use un vocabulario limitado, tal vez de cincuenta palabras, para formar tantas oraciones como puedan. De esta manera, su bebé dominará verdaderamente palabras. Su confianza en sí mismo crecerá de manera tal que no importa qué combinaciones o permutaciones se presenten en una oración nueva, él podrá decodificarlas.

En esta etapa usted sigue presentándole este material. Le está leyendo en voz alta las oraciones o los libros. Según la edad, capacidad de lenguaje o personalidad de su bebé, puede estar leyendo espontáneamente algunas palabras u oraciones completas en voz alta. Si lo hace espontáneamente, está bien, pero usted no se lo pida. En el siguiente capítulo hablaremos de esto con detalle.

Conforme avance de las oraciones de cuatro a las de cinco palabras o más, sin duda alguna le faltará espacio en las tarjetas de 7.5 cms por 60 cms o en los libros de 20 cms por 45 cms.

Ahora, va a efectuar poco a poco los siguientes cambios:

1. Reducirá el tamaño de las letras.
2. Aumentará el número de palabras.
3. Cambiará las letras de rojo a negro.

Empiece por reducir un poco el tamaño de las letras no tanto que su bebé tenga dificultades para leer. Haga la prueba con letras de 2.5 cms. Uselas durante varias semanas. Si no tiene problemas, está lista para aumentar el número de palabras. Si ha usado oraciones de cinco palabras, aumente a oraciones de seis palabras. Sin embargo, siga con letras de 2.5 cms. Ahora siga durante algún tiempo con las oraciones de seis palabras. Si todo va bien, reduzca sus letras a dos cms. *La regla importante de este proceso es nunca reducir el tamaño de las letras y aumentar el número de palabras al mismo tiempo.* Primero reduzca un poco el tamaño de las letras durante algún tiempo y después aumente el número de palabras.

Haga ambas cosas gradualmente. Recuerde, la oración no será nunca demasiado grande o demasiado clara, pero podría ser demasiado pequeña y demasiado confusa. Nunca trate de apresurar este proceso.

Si usted redujera el tamaño de la impresión o aumentara el número de palabras con demasiada rapidez, notaría que la atención y el interés de su bebé decaerían. Puede empezar a mirar hacia otro lado y no hacia el material escrito y sencillamente verla a usted porque la tarjeta o la página es visualmente demasiado compleja para él. Si esto sucediese, sencillamente regrese al tamaño de impresión y al número de palabras que usaba antes de que esto pasara y su entusiasmo retornará. Permanezca en este nivel durante un tiempo antes de intentar cambiar nuevamente las cosas.

De hecho, no necesita cambiar el tamaño o el color de las palabras sueltas. Realmente hemos descubierto que es más fácil para el bebé y para la madre que las palabras conserven el tamaño grande.

Sin embargo, cuando hagan libros con letras de 2.5 cms. o de seis palabras o más en una página, recomendamos cambiar del rojo al negro en la impresión. Conforme las palabras se achican, es mejor el negro: hace mejor el contraste y puede leerse mejor la página.

Ahora está listo el escenario para el paso final y más emocionante de todos: el libro. Hemos llegado hasta el umbral al crear muchos libritos de pares, de oraciones básicas cortas y de oraciones más largas, pero estos pasos son el esqueleto, ahora nos toca la verdadera sustancia.

El camino está despejado: adentrémonos en él.

EL QUINTO PASO (Libros)

Ahora su bebé está listo para leer un libro de verdad: ya ha leído muchos libros caseros y ha aprendido todas las palabras sueltas, los pares y las oraciones cortas que encontrará en su primer libro.

La preparación cuidadosa anterior es la clave del éxito que tendrá en su primer libro y, en todos los libros por venir.

Su habilidad para manejar palabras sueltas, pares y oraciones cortas y largas está cimentada. Pero ahora debe ser capaz de leer letras más pequeñas y más palabras por página.

Entre menor sea su hijo mayor será el reto en este paso. Recuerde que conforme le enseñaba a leer, estaba haciendo crecer su canal visual, exactamente de la misma manera que el ejercicio hace crecer el músculo bíceps.

En caso de que esté reduciendo el tamaño de la impresión con demasiada celeridad y, por lo tanto, presentando una impresión que su bebé no puede leer fácilmente todavía, tendrá una idea clara de qué tamaño de letra puede leer fácil y cómodamente repitiendo los *pasos tercero y cuarto* de su programa.

Como las palabras que está usando son exactamente las mismas y difieren únicamente en que las va haciendo más pequeñas a cada paso, puede ver ahora con mucha claridad si el bebé aprende más rápidamente de lo que madura su canal visual.

Por ejemplo, suponga que el bebé termina los pasos tercero y cuarto con éxito y con palabras de 5 cms, pero tiene dificultad para leer las mismas palabras idénticas en el libro. La respuesta es sencilla. Las palabras son demasiado pequeñas. Sabemos que el bebé puede leer palabras de 5 cms con facilidad. Sencillamente, los padres preparan más palabras y oraciones cortas de 5 cms de altura; use palabras y oraciones sencillas y graciosas que la criatura disfrute al leer. Después de dos meses, vuelva al libro con impresión más pequeña.

Recuerde que si la impresión es demasiado pequeña, nosotros también tendríamos dificultad para leer.

Si el niño tiene tres años de edad cuando usted llega a letras de 2 cms del libro en sí, es muy probable que ya nada lo detenga. Si el bebé tiene menos de dos años de edad, es casi seguro que necesita crear o comprar más libros con letras de 2.5 cms o 5 cms para la criatura. No hay problema, se trata de leer y es lectura de verdad. Madurará el crecimiento cerebral mucho más que de otra manera.

Los padres necesitarán ahora conseguir el libro que enseñará leer a su bebé. Busquen un libro que contenga el vocabulario que han enseñado al bebé palabra por palabra, en pares y en oraciones cortas. La elección del libro que usarán es muy importante; debe cumplir con los siguientes requisitos:

1. Debe contener un vocabulario de cincuenta a cien palabras
2. Debe presentar únicamente una oración en cada página.
3. La letra no debe tener menos de 2 cms de alto.
4. El texto debe preceder la ilustración y estar separado de ella.

Desafortunadamente, a la fecha pocas editoriales cumplen con estos requisitos. Algunos libros de "The Better Baby Press" que cumplen con estos requisitos son:

1. *Enough, Inigo, Enough*
2. *Inigo Mckenzie, The Contrary Man*
3. *You Can't Stay a Baby Forever*
4. *Nose Is Not Toes*

Sin embargo, su pequeño lector no quedará satisfecho con uno o dos libros: necesitará muchos. Por lo tanto, la manera más sencilla de proporcionarle libros adecuados para esta etapa es comprándole libros comerciales interesantes y bien escritos y rehacerlos con las páginas grandes, impresas con claridad que su bebé requiere. Entonces puede recortar las ilustraciones profesionales e incluirlas en el libro que está rehaciendo.

A veces es necesario simplificar el texto para adecuarlo al nivel de lectura de su bebé. O puede encontrar libros con magníficas ilustraciones pero con textos tontos o repetitivos que aburrirían a su criatura. En este caso, vuelva a escribir el texto con vocabulario más complejo y oraciones más maduras.

El contenido del libro es vital. Su bebé desea leer un libro exactamente por las mismas razones que los adultos deseamos leerlos. Espera que sea entretenido o que le dé información nueva, o ambas cosas de preferencia. Disfrutará con un libro bien escrito, con historias de aventuras, con cuentos de hadas y con historias de misterio. Hay un mundo de ficción maravillosa escrita y esperando ser escrita. También le encantarán libros sobre lo real. Los libros que enseñan sobre las vidas de personajes famosos o sobre la vida de los animales son muy populares entre los pequeños.

Tal vez la regla más sencilla sea: ¿usted encuentra el libro interesante? Si no, es muy probable que su bebé de tres años tampoco encuentre cosas interesantes en él.

Es mucho, mucho mejor aspirar a algo un poco superior al bebé y dejar que lo alcance que correr el riesgo de aburrirlo con pamplinas.

Recuerde las siguientes reglas:

1. Cree o elija libros que le interesen a su bebé.
2. Introduzca todo el vocabulario nuevo en forma de palabras sueltas antes de empezar a leer el libro.
3. Haga el texto grande y claro.
4. Asegúrese de que su criatura tenga que voltear la página para ver las ilustraciones que siguen al texto.

Una vez que haya terminado los pasos descritos arriba, está lista para empezar el libro con su bebé.

Siéntese con él y léales el libro. Tal vez él quiera leer algunas de las palabras por sí mismo en vez de que usted se las lea. Si lo hace espontáneamente, perfecto. Esto dependerá mucho de su edad y de su personalidad. Entre más pequeño sea, menos querrá leer en voz alta. En este caso, usted lee y él la sigue.

Lea a la velocidad normal, con entusiasmo y con entonación muy expresiva. No es necesario señalar cada palabra al leer. Si él lo hace, está bien, siempre y cuando usted no disminuya la rapidez.

Lea el libro dos o tres veces al día durante varios días. Cada libro tendrá su lapso de vida propio. Algunos libros están listos para el librero en pocos días; otros se usan diariamente durante semanas.

Su bebé empieza ahora a tener su propia biblioteca. Una vez que usted haya retirado un libro, póngalo en el librero. Entonces él podrá releerlo cuantas veces quiera.

Conforme crece esta pequeña biblioteca de magníficos libros hechos a la medida, se vuelve una fuente de placer y orgullo para el pequeño. En esta etapa es probable que desee empezar a tomar uno de sus libros para llevarlo consigo donde quiera que vaya.

Mientras que otros niños se aburren paseando en auto, esperando en la fila del supermercado o en el restaurante, su pequeño tiene sus libros viejos, que aprecia y releé una y otra vez; y sus libros nuevos que anhela leer cada semana.

Al llegar a este punto es imposible conseguir libros suficientes. Los devorará. Entre más tenga, más querrá. En un mundo donde el 30 por ciento de los jóvenes de dieciocho años dentro del sistema escolarizado no pueden leer con provecho y en el que muchos se graduarán sin poder leer sus propios diplomas de secundaria o las etiquetas de los tarros, este problema de seguir abasteciendo de libros a su hijito, es el único problema que tendrá.

Resumen

Hay tres niveles diferentes de comprensión en el proceso de aprender a leer. Conforme la criatura los supere uno a uno, mostrará mucha emoción ante su nuevo descubrimiento. El gozo que debió sentir Colón al encontrar un mundo nuevo difícilmente puede ser mayor que el que experimentará el bebé en cada uno de sus niveles.

Naturalmente, su primer placer y deleite será descubrir que las palabras tienen significado. Para la criatura, esto es casi como un código secreto que comparte con los adultos. Lo gozará amplia y visiblemente.

Después observa que las palabras que lee se pueden usar juntas y que, por lo tanto, son más que simples etiquetas para los objetos. Esta es también una revelación nueva y maravillosa.

Su último descubrimiento probablemente será notable para los padres. Este, el mayor de ellos, es que el libro que lee representa más que la simple alegría de traducir los nombres secretos de los objetos, y más aún que decodificar sartas de palabras en comentarios sobre los objetos y las personas. Repentinamente y con gran deleite el gran secreto salta a la vista del bebé: este libro realmente se está comunicando con él y únicamente con él. Cuando el niño se da cuenta de ello (y esto no forzosamente sucede después de haber leído muchos libros) no habrá qué lo detenga. Será desde ese momento un lector en todo el sentido de la palabra. Ahora comprende que las palabras que ya sabe se pueden reordenar para formar nuevas ideas totalmente distintas. No tiene que aprender un juego nuevo de palabras cada vez que tenga que leer algo.

¡Qué descubrimiento! Pocas cosas se podrán comparar con ésta en la vida. Ahora puede tener a un adulto que le comunique ideas nuevas en el momento que él, el bebé, lo desee sencillamente al tomar un libro nuevo.

Todo el conocimiento de la humanidad está ahora a su disposición. No únicamente el conocimiento de las personas que conocen el hogar y sus alrededores, sino de personas muy lejanas que nunca verá. Más aún, él puede acercarse a personas que vivieron hace mucho tiempo en otros lugares, en otras épocas.

El poder de controlar nuestro propio destino empezó, como veremos, con nuestra habilidad de escribir y de leer. Debido a que el hombre ha podido escribir y leer, ha podido pasar de generación en generación, durante muchos siglos y desde lugares remotos, el conocimiento que ha obtenido. El conocimiento del hombre es acumulativo.

El hombre es tal, básicamente porque puede leer y escribir.

Es ésta la verdadera importancia de lo que su criatura descubre cuando aprende a leer. El bebé tratará, a su manera, de platicar a ustedes sobre su gran descubrimiento, salvo que ustedes, sus padres, no le hagan caso. Si trata de hablar con ustedes, escúchenlo respetuosamente y con amor. Lo que tiene que decir es muy importante.

8
La edad perfecta para empezar

Nunca es demasiado pronto para aprender

—WILLIAM RICKER,
1890

Ahora el lector conoce los pasos básicos en el proceso de la lectura. Estos pasos son aplicables a cualquier edad del bebé. Sin embargo, cómo comience usted con su bebé y en qué pasos necesite hacer hincapié, depende de la edad de su hijo cuando empiece su programa de lectura.

El camino que acabamos de describir es el que hay que seguir y sí funciona. Miles de padres han usado precisamente este método para enseñar a niños en edades desde el nacimiento hasta los seis años. Sin embargo, hay que recordar que un recién nacido no es como un niño de dos años. Un niño de tres meses no es como uno de tres años.

Ahora podemos afinar ese programa en forma de programas individuales para cada grupo importante según la edad, desde el nacimiento hasta los seis años.

Los pasos no cambian al cambiar la edad. La secuencia de pasos permanece igual a cualquier edad.

En este capítulo delinearemos los detalles y los matices que mejorarán su programa de lectura y le permitirán triunfar con mayor facilidad, cualquiera que sea la edad de su bebé cuando inicie su programa de lectura.

Aquí puede sentir la tentación de leer y estudiar únicamente la sección de la edad de su bebé en este momento. Sin embargo, es importante comprender todos los puntos de cada sección de manera que conforme crece su bebé y se desarrolle, usted comprenda como cambiar y reformar su programa.

Su criatura estará cambiando constantemente y su programa debe ser dinámico y activo todo el tiempo para marchar al ritmo del bebé.

Cómo empezar con el recién nacido

Si usted pretende empezar desde el nacimiento de su bebé, es importante saber que al principio su programa no es un programa de lectura, realmente es un programa de estímulo visual.

En el contexto de nuestro camino de lectura, el bebé recién nacido necesita un paso *anterior al primer paso*. Lo llamaremos *el paso cero* porque antes de que verdaderamente esté listo para el *primer paso* de su programa de lectura necesita el *paso cero* que es un programa de estímulo visual.

Cuando un bebé nace, sólo puede ver luces y sombras: no puede ver detalles. Dentro de las primeras horas o días siguientes empezará a ver siluetas borrosas delineadas durante lapsos cortos. Conforme se estimula su habilidad para ver siluetas, al darle oportunidades de que las vea a su alrededor, empezará a ver detalles borrosos durante breves lapsos. Por lapsos muy breves queremos decir algunos segundos. En esta etapa, ver una silueta implica un esfuerzo para el recién nacido. Ver detalles es un esfuerzo gigantesco. Sin embargo, es un esfuerzo que estará dispuesto a realizar porque su necesidad de ver es muy fuerte.

Los recién nacidos empiezan a ver la figura oscura de la cabeza de la madre que se mueve contra la luz de una ventana soleada. Entre más oportunidades tenga el bebé de ver este contraste de un perfil negro fijo contra un fondo bien iluminado mejor será su visión.

Una vez que pueda ver un perfil, empezará a buscar sus detalles: los ojos de la madre, la nariz y la boca son los detalles que ve primero.

Dentro de los límites de este libro no es posible describir paso a paso el crecimiento y desarrollo del canal visual del recién nacido. Sin embargo, mostrar al infante las palabras de la lectura es importante para estimular y desarrollar su habilidad de ver detalles.

Esta habilidad es resultado del estímulo y de la oportunidad: no es cuestión de algún reloj despertador hereditario que suene y propicie que suceda, como se creía anteriormente.

El recién nacido al que se le da la oportunidad de ver siluetas y detalles desarrollará estas habilidades más rápidamente y por lo tanto madurará más pronto a partir de su ceguera, pues ciego es al nacer, hasta que sea capaz de ver bien sin esfuerzo.

Este programa de estímulo visual es sumamente fácil y, si reflexionamos, totalmente lógico. Después de todo, uno le habla a su bebé desde que nace. De hecho, ¿no le ha hablado durante los nueve meses anteriores al parto?

Nadie duda del sentido que tiene hablarle al recién nacido. Todos reconocemos que es un derecho nato de todo bebé oír su lenguaje. Y no obstante, el lenguaje hablado es una abstracción... podríamos decir que no es ni más ni menos abstracto que el lenguaje escrito, pero la verdad es que el lenguaje oral es realmente un poco más difícil para que lo descifre el bebito que el lenguaje escrito. Un principio básico de toda enseñanza es la constancia y, sin embargo, es muy difícil ser constante cuando se usa el lenguaje oral. Podríamos preguntar al bebito: "¿Cómo estás?" Más tarde: "¿Cómo estás?" y antes de que termine el día "¿Cómo estás?", con tres inflexiones de voz. Le diríamos lo mismo tres veces. Pero, ¿es lo mismo?

Para el canal auditivo inmaduro del bebito estas inflexiones constituyen tres cosas diferentes; cada una tiene énfasis diferente. Y él busca las semejanzas y las diferencias entre estas tres preguntas.

Ahora considere las ventajas del canal visual. Tomamos nuestra gran tarjeta blanca con impresión en rojo que dice "mamá". La sostenemos ante el bebé y decimos "mamá". Mostramos esta tarjeta muchas veces a lo largo del día. Cada vez que el bebito ve la tarjeta es idéntica a la que vio antes. De hecho, es igual porque es la misma. El resultado es que aprende esto con mucha mayor rapidez y facilidad a través de su canal visual que a través de su canal auditivo.

Debemos empezar con palabras sueltas. Elija las siete palabras que use con mayor frecuencia y que, por lo tanto, son las que más necesita su recién nacido: su propio nombre, las palabras *mamá* y *papá*, y las partes del cuerpo. Son un buen modo de empezar.

Como está empezando con un recién nacido, su primer juego de palabras necesita ser *muy* grande. Use cartulina de 15 cms de alto por 60 cms de largo. Sus letra deben ser de 12.5 cms de altura con lineas de 2 cms de grueso o más. Necesita trazos *muy* firmes para obtener la intensidad apropiada para un infante. Recuerde que se trata, primero y ante todo, de estímulo visual.

Si empieza al nacimiento, o inmediatamente después, querrá empezar con una palabra. Generalmente el nombre de su bebito es bueno para empezar. Mientras arrulla a su bebé en los brazos, sostenga la tarjeta a unos 45 cms de su vista y diga el nombre de la criatura. Ahora sostenga la tarjeta y espere. Lo verá esforzarse para localizar la tarjeta. Cuando la vea, diga nuevamente la palabra con voz fuerte y clara. El tratará de enfocarla durante uno o dos segundos, ahora retire la tarjeta.

Como el bebito no puede ver la silueta ni el detalle, existe la tentación de hacer pasar la información visual a través de su campo visual para captar su atención. Recuerde, su atención es excelente pero su visión no. Si le pasamos la palabra enfrente, tendrá que enfocar un objeto en movimiento: esto es mucho más difícil que localizar un objeto fijo. Por lo tanto, usted debe sostener la tarjeta sin moverla y dar el tiempo que necesite para localizar la tarjeta. Al principio tomará entre diez y quince segundos o aún más, pero cada día será patente la disminución del tiempo que ocupa para localizar la tarjeta y enfocarla brevemente.

Su habilidad para localizar la tarjeta y enfocarla será el producto de las veces que usted le muestre la palabra. Cada vez será más fácil que la vez anterior.

Es de suma importancia que haya una iluminación excelente. La luz debe estar dirigida hacia la tarjeta, *no* hacia los ojos del bebé. Esta iluminación necesita ser mucho mejor que la luz ambiental que consideramos adecuada para usted y para mí.

Estará acelerando y mejorando el increíble proceso del desarrollo de la visión humana, desde la rudimentaria habilidad de ver la luz hasta la habilidad más sutil de reconocer la sonrisa de la madre de lado a lado del cuarto.

El primer día muéstrele una palabra. Muéstresela diez veces ese día. Si se la muestra con más frecuencia, mejor aún. Muchas madres guardan sus tarjeta de lectura donde le cambian el pañal al bebé. Cada vez que le cambia el pañal al bebé, la madre aprovecha para mostrarle su palabra. Esto funciona muy bien.

El segundo día elija la segunda palabra y muéstrela diez veces. Cada día, durante siete días, elija una palabra diferente y muéstrela diez veces al día. Al iniciar la siguiente semana regrese a la primera palabra y vuélvela a mostrar diez veces. Repita este procedimiento durante tres semanas. Esto querrá decir que, por ejemplo, cada lunes el bebé mirará la palabra *mamá* diez veces.

Si usted empieza desde el nacimiento, cuando su bebé tenga tres semanas de edad, podrá enfocar sus palabras con mayor rapidez. De hecho, tan pronto como usted saque una palabra, él mostrará signos de emoción al mover su cuerpo como culebrita y sus piernas como si pateara.

Cuando esto sucede, es un momento muy emocionante para usted, porque se da cuenta de que su bebé no sólo está viendo sino comprendiendo lo que ve y, más importante aun, está disfrutando la experiencia enormemente. Dicho programa de estímulo visual es cada día más fácil para su bebé, conforme su habilidad para enfocar y ver detalles se desarrolla.

En las primeras etapas de desarrollo visual usted descubrirá que la habilidad visual de su bebito cambia a lo largo del día. Cuando está descansado y alimentado, usa constantemente sus habilidades visuales, pero se cansará rápidamente. Cuando tenga sueño, "apagará" la vista y verá muy poco. Cuando tenga hambre, usará su energía para convencerla de que lo alimente.

Por lo tanto, usted debe elegir el momento adecuado para mostrarle las palabras. Pronto aprenderá a prever sus mejores momentos y a evitar las horas en que tiene hambre o sueño. En ocasiones estará malhumorado durante uno o dos días. Esto lo hace ser caprichoso y estar inquieto casi todo el tiempo. No le muestre las tarjetas durante estos días, espere que esté tranquilo nuevamente.

Entonces reinicie exactamente donde se quedó. No tiene que regresar y repasar.

Después de repetir las primeras siete palabras durante tres semanas, elija siete palabras nuevas y ejecute el ciclo de la misma manera hasta que su bebito vea constante y fácilmente los detalles. En los bebés normales y que no reciben estímulos organizados, esto sucede a las doce semanas o después. A su criatura, que goza de un programa de estímulo visual, le sucederá entre la octava y décima semana.

Las madres son insuperables para saber cuándo pueden verlas fácilmente sus bebés. En este punto, el bebito reconoce fácilmente a la madre e instantáneamente responde a su sonrisa sin necesidad de claves auditivas o táctiles. Para entonces, el bebé usa su vista casi todo el tiempo. Unicamente durante los momentos de gran fatiga o de enfermedad, apaga la vista.

Ahora ha terminado completamente el *paso cero* con su bebé y está listo para pasar al *primer paso* porque usted, ha hecho crecer su canal visual. Está listo para empezar el camino de la lectura y para seguir el programa descrito (capítulo 7). Como su bebé ha estado viendo palabras sueltas durante uno o dos meses, usted puede pasar directamente a los tres grupos de cinco palabras tres veces al día.

En este punto, su programa cambia de velocidad: del programa de estímulo visual, deliberadamente lento, a un programa de lectura con un ritmo muy rápido. Ahora su hijo asimilará la lectura de palabras a un ritmo sorprendente, así como está aprendiendo el lenguaje a través de su oído, también a un ritmo extraordinario. ✎

Cómo enseñarle a un infante (de tres a seis meses de edad)

Si usted empieza su programa de lectura con una criatura de entre tres y seis meses de edad, céntrese en el *primer paso* del camino de la lectura. Este paso será la clave de su programa.

Las dos cosas más importantes que recordar son:

1. Muestre la palabra con gran rapidez.
2. Añada palabras nuevas con frecuencia.

Lo maravilloso de un pequeño infante es que se trata de un intelectual puro. Aprende cualquier cosa con una imparcialidad total y sin el menor prejuicio. Aprende por el hecho de aprender, sin trabas de ninguna especie. Por supuesto, su sobrevivencia depende de esta característica, pero es una característica admirable y el hecho de estar ligada a su sobrevivencia no la hace menos admirable.

Es la clase de intelectual que todos quisiéramos ser, pero pocos lo somos. Le encanta aprender. Para él y para nosotros es un triunfo si somos lo suficientemente afortunados para tener la oportunidad de enseñarle.

Entre los tres y los seis meses de edad, un bebito puede captar el lenguaje a un ritmo sorprendente. También ve constantemente con detalle. En pocas palabras, puede captar el lenguaje oral sin dificultad, siempre y cuando le hablemos de manera clara y *en voz alta*. Puede captar el lenguaje escrito siempre y cuando sea *grande* y claro. Nuestro objetivo es conservar las palabras de lectura grandes y bien formadas para que el bebé siempre las pueda ver con facilidad.

En esta etapa, el bebé usa sonidos para comunicarse con nosotros. Sin embargo, pasarán meses antes de que podamos decodificar todos estos sonidos como las palabras, oraciones y párrafos a que equivalen. Así pues, según los adultos, el bebé no puede hablar.

El bebé tiene excelentes canales sensoriales para captar información, pero no ha desarrollado el canal motriz como para expresarnos la información de manera que podamos entenderla inmediatamente.

Como éste es el caso, sin duda alguna alguien le preguntará cómo puede enseñar a leer a un bebé que todavía no puede hablar. *La lectura se realiza con el canal visual, no con la boca.* La lectura es el proceso de comprender el lenguaje en su forma escrita. Hablar es el proceso de exteriorizar el lenguaje de manera oral.

La lectura es una habilidad de los sentidos, igual que escuchar. Hablar es una habilidad motriz, igual que escribir. Hablar y escribir requieren habilidades motrices que el bebé no tiene.

El hecho de que su bebé sea demasiado chico para hablar y de que no pueda pronunciar las palabras que lee no niega el que usted está aumentando y enriqueciendo su lenguaje al enseñarle a leer.

Realmente, al enseñarle a leer a su bebé hará que hable más pronto y ampliará su vocabulario. Recuerde que el lenguaje ya sea que se transmita al cerebro a través de la vista o a través del oído, es lenguaje.

En los Institutos para la Realización del Potencial Humano usamos la lectura como uno de los medios importantes para enseñar a hablar a niños con lesión cerebral.

Es imposible que un bebé de cuatro meses lea en voz alta. Esto es una gran ventaja porque nadie tendrá la tentación de intentar que el bebé lo haga, pero puede leer en silencio, rápido y bien, como usted y yo. Cuando inicien su programa de lectura, con frecuencia descubrirá que al final de una sesión él querrá más. Resista la tentación de repetir nuevamente las palabras o de mostrar otro grupo de cinco palabras en ese momento. Es probable que vea con gusto cuatro o cinco grupos de palabras y que quiera todavía más.

Realmente puede mostrar a un bebé de tres o cuatro meses varios juegos, uno tras el otro, sin problemas durante algunos meses, pero esté dispuesto a cambiar pronto, porque lo necesitará.

Recuerde que es un lingüista genial: prepárese para alimentar su mente con muchas palabras sueltas nuevas.

Cómo enseñar a un bebé de siete a doce meses de edad

Si usted empieza el método con un bebé de siete a doce meses de edad, las dos cosas más importantes que debe recordar son:

1. Cada sesión debe ser muy corta.
2. Realice las sesiones con frecuencia.

Como hemos dicho, un bebé de cuatro meses a veces querrá ver todos sus juegos de palabras, uno tras otro, en una sola sesión. Sin embargo, esto sería un desastre para el bebé de siete a dieciocho meses de edad.

Use solamente un grupo de cinco palabras por sesión y después guárdelas.

La razón es muy sencilla. Cada día se amplía la movilidad de su bebé. A los tres meses de edad casi no se mueve solo: observará sus palabras durante periodos largos. A los adultos esto nos gusta mucho, así que le mostramos *todas* sus palabras en una sesión. Nos acostumbramos a esta rutina; para nosotros es fácil. Pero el bebé cambia día con día. En cuanto gatea sobre sus manos y rodillas, se abre todo un mundo de posibilidades para él. Ahora cuenta con una licencia para conducir y ansía explorarlo todo. Repentinamente, su pequeño sedentario, quien se veía muy complacido con quince palabras, ya no tiene tiempo para la lectura. Nos desanimamos. ¿Dónde nos equivocamos? Seguramente ya no le gusta leer. Frustrados, nos rendimos.

El bebé también debe estar frustrado. Se divertía tanto leyendo y después las palabras desaparecieron. No es que dejara de gustarle la lectura, sino que ahora está más ocupado. Ahora tiene toda una casa que explorar. Están todos esos gabinetes de cocina que abrir y cerrar, todos los contactos que investigar, cada pelusa de la alfombra que recoger y comer antes de que se oculte el sol. Hay que admitir que un bebé de siete meses tiene una enormidad de cosas que investigar y destruir. También desea explorar la lectura, pero no puede darse el lujo de ver cincuenta palabras cada vez. Cinco palabras cada vez es mucho, mucho mejor.

Si le damos sesiones breves, seguirá devorando las palabras nuevas a mil kilómetros por hora. Solamente cuando retrasamos su siguiente cita urgente, ocupándolo más de algunos segundos, se ve forzado a abandonar el barco y a dejarnos solos, sentados en medio de la sala.

A los adultos nos encanta encontrar un buen horario cómodo y después ajustarnos a él a como dé lugar. Las criaturas son dinámicas, nunca dejan de cambiar. Exactamente de la misma manera en que nosotros establecemos una rutina, el pequeño pasa a un nivel nuevo y descubrimos que tenemos que cambiar con él o nos deja atrás.

Por ello, las sesiones siempre deben ser cortas, así, aunque su movilidad aumente, usted ya lo habrá acostumbrado a tener sesiones cortas que formarán parte natural de su día y se ajustarán a su ocupadísimo horario y agenda.

Cómo empezar el método con un bebé de doce a dieciocho meses de edad

Si usted inicia su programa de lectura con un bebé de esta edad, las dos cosas más importantes que debe recordar son:

1. Tener sesiones brevísimas.
2. Detenerse antes de que él se quiera detener.

En el camino de la lectura, haga hincapié en los *pasos primero* y *segundo* (capítulo 7). Conforme avance en el camino de la lectura con un bebé en esta etapa de desarrollo, lo más importante es que cada sesión sea muy corta.

La razón por la cual esto es tan importante es que ahora su desarrollo móvil es sumamente importante.

A los doce mese, un bebé camina o empieza a circular entre las personas y los muebles apoyándose con las manos y avanza solo hasta dar sus primeros pasos independientes. Cuando este mismo nene tiene dieciocho meses, no únicamente camina con aplomo sino que empieza a correr. Todo un progreso en apenas seis meses. Para lograr resultados tan espectaculares debe invertir mucho tiempo y mucha energía en audaces hazañas físicas.

En ningún otro momento de su vida tendrá tanta importancia el movimiento físico. Podemos estar seguros de que si hiciésemos cada una de las cosas que él hace durante el día, acabaríamos exhaustos después de una hora. Está comprobado. Ningún adulto tiene la condición física para soportar el mismo esfuerzo que realiza en un día un bebé de dieciocho meses.

Estas actividades físicas son de suma importancia para él. Durante este periodo de crecimiento y desarrollo tenemos que saber adaptar su programa de lectura a su intenso programa físico. Hasta este momento de su vida, un grupo de cinco palabras por sesión fue lo óptimo. Sin embargo, durante esta etapa puede ser necesario bajar a tres palabras por sesión e incluso a dos o una.

El mejor principio de enseñanza es el de detenerse antes que su bebé.

Siempre deténgase antes de que *él* lo desee.

Siempre deténgase *antes* de que él lo desee.

Siempre deténgase antes de que él lo desee.

Este principio vale para cualquier tipo de enseñanza en cualquier etapa de desarrollo y a cualquier edad.

Pero es especialmente cierto en el caso del bebé de doce a dieciocho meses de edad.

Necesita un horario de sesiones frecuentes y cortas. De hecho, necesita esos pequeños y preciados descansos entre los esfuerzos físicos.

Apreciará mucho todo el camino de la lectura, desde el *primer paso* (el de palabras sueltas) hasta el *quinto* (el de libros), pero preferirá los pasos *primero* y *segundo* porque es inquieto y no puede darse el lujo de entretenerse durante mucho tiempo.

Lo mejor para él son la sesiones muy cortas y cariñosas.

Cómo empezar el método con un niño de dieciocho a treinta meses

Iniciar cualquier cosa nueva o diferente con un niño de dieciocho a treinta meses puede ser un reto: a esta edad es muy capaz y progresará rápidamente del *primer paso* al *quinto una vez* que hayamos *iniciado* un buen programa y seamos constantes. Hay tres cosas importantes que recordar cuando le enseñe a este pequeño:

1. Elija las palabras que más le gustan.
2. Inicie *gradualmente* su programa de lectura.
3. Cambie de palabras sueltas y pares a frases en cuanto pueda.

Conforme pasa cada día, él desarrolla y adapta su propio punto de vista. Empieza a tener sus gustos propios y rechaza cosas. La criatura de dieciocho meses de edad ya no es el intelectual puro que era a los tres meses.

Si empezamos a introducir el lenguaje en forma visual a una criatura de dieciocho meses, primero debemos recordar que ya es un experto en el lenguaje auditivo. Aunque desde hace meses habla, los adultos que lo rodean apenas empiezan a captar el significado de sus sonidos. No sorprende que al darse cuenta de que por fin es comprendido tenga mucho que decir y que preguntar.

Es importante recordar que para él, si una idea es suya, es una gran idea; si una idea tiene cualquier otro origen puede no contar con su aprobación. Nadie desempeña el papel principal mejor que este pequeño: su programa necesita tomar esto en cuenta.

Observe todo lo que lo rodea. Vea qué cosas le gustan: son las cosas que querrá ver como palabras de lectura. Hace mucho que rebasó su interés en los dedos de sus manos o sus pies. Querrá que su vocabulario refleje una esfera más amplia de pertenencias, comida, acciones y emociones. Puede enseñarle adjetivos y adverbios. Así es que lo primero que debe recordar es *elegir cuidadosamente las palabras*. Descubra las que él quiere. Deseche las que no le gustan.

En segundo lugar, debe tener en cuenta que con este pequeño usted no puede iniciar de la noche a la mañana un programa completamente desarrollado.

En vez de iniciar el primer día con tres juegos de cinco palabras, como se vio en el capítulo 7, empiece con un grupo de cinco palabras: así despertará el interés del pequeño sin irse a pique. Necesita conquistarlo un poco.

En cuanto él decida que *la idea y las palabras son de él*, se prendará de ellas, pero al principio son las palabras de usted y él no las conoce.

Muéstrele únicamente ese grupo de cinco palabras, hágalo de manera muy rápida y guárdelas. Más tarde, en el momento adecuado, repita la operación. A los pocos días añada otro grupo de cinco palabras y así sucesivamente; *poco a poco*, conforme crezca el interés de la criatura introduzca nuevos grupos de cinco palabras al paso de los días.

Es mejor no satisfacerlo del todo y dejar que le pida más. Conforme avance en su programa, pregúntele qué palabras le gustarían y prepáreselas.

En cuanto haya retirado un número suficiente de palabras sueltas y de pares de palabras para formar oraciones graciosas, hágalas. Le encantarán las oraciones, así es que no espere hasta que haya hecho miles de palabras sueltas para llegar a las oraciones. El no es un bebé: preferirá oraciones más que palabras sueltas; por ello, llegue a ellas cuanto antes.

Le encantará el *tercer paso* del camino de la lectura siempre y cuando cada palabra del *primer paso* y cada par del *segundo paso* se ajusten a sus especificaciones y empecemos con una evolución más que con una revolución.

Respecto a que su criatura de dieciocho a treinta meses de edad pronuncie en voz alta las palabras, una observación. Un niño de dos años, como todos sabemos, hace única y exclusivamente lo que le complace. Si desea gritar las palabras de su lectura, lo puede hacer. Si no desea decirlas, no lo hará. El objetivo es enseñarle a su bebé, de la edad que sea, a demostrar su conocimiento de la manera que *él* elija o de no demostrarlo.

Cómo empezar el método con un niño de treinta a cuarenta y ocho meses de edad

Un niño de esta edad o mayor, desea llegar instantáneamente al último paso del camino de la lectura (el *quinto paso*).

Sin embargo, necesitará seguir el camino desde el *primer paso* para llegar al *quinto paso*, su favorito. Querrá libros, y entre más pronto, mejor; pero tardará un poco más de tiempo que un bebé para aprender las palabras sueltas.

Las tres cosas más importantes que hay que recordar son:

1. Necesitará leer palabras complicadas.
2. No aprenderá las palabras sueltas tan rápidamente como un bebé.
3. Querrá libros, libros y más libros.

Evidentemente, a los treinta meses su niño ya no es un verdadero bebé: ahora su bebé es un niño pequeño completamente maduro.

En esta etapa su criatura no insistirá en tener el papel central a cada instante, como hace un año. Sin embargo, tanto su personalidad como lo que le gusta y lo que no están más definidos ahora.

Este pequeño debe ayudarla a diseñar su programa para que el programa de lectura marche sobre ruedas desde el principio. En vez de las palabras sobre partes del cuerpo, empiece con el área de mayor interés y entusiasmo para él. Si le gustan los autos, entonces empiece por enseñarle palabras sobre los autos. A usted y a mí puede no parecernos la mejor manera de empezar, pero sí *lo es*, porque estamos empezando con el lenguaje que más le interesa al niño. Dispone de todo el tiempo del mundo para aprender palabras como *gato* y *pato*. El querrá palabras que pueda rumiar. No lo moleste con las partes del cuerpo, a menos que sean palabras como *cráneo*, *clavícula* y *húmero*. Estas le interesarán porque ampliarán su conocimiento sobre el lenguaje.

Recuerde que el niño ya no es un bebé: no aprenderá las palabras sueltas tan rápidamente como un bebé. Necesitarán repasar las palabras usadas y usarlas una y otra vez en los libros para que sea un lector seguro de sí mismo.

Ello tampoco significa que deba avanzar a vuelta de rueda. Este niño aprende a un ritmo sorprendente, aunque no iguala el ritmo de aprendizaje de un bebé.

Necesitará llegar a los pares, las oraciones y los libros con mucha mayor rapidez que con un niño menor.

Repito, el bebé capta todo más fácilmente y retiene la información más rápido y con menos refuerzos. Los pares, las oraciones y los libros son ideales para repasar el vocabulario viejo de manera nueva, divertida y útil para el niño de cuarenta meses de edad.

Aun después de mostrársela una sola vez, el niño de esta edad siente que conoce la palabra por el mero hecho de que recuerda haberla visto antes. Sin embargo, es necesario repetírsela para que la capte de verdad.

Puede volver a mostrarle las palabras que ya ha visto

antes sólo si al mismo tiempo continua con su programa de añadir palabras nuevas. Si el niño sabe que habrá palabras nuevas todos los días, se sentirá feliz al ver las palabras de ayer y aun las de anteayer.

Repito, la verdadera clave con él es llegar rápidamente a los pares, las oraciones y los libros. Para él, esto significa la mayor diferencia del mundo. Si usted continua con palabras sueltas todo el tiempo, lo perderá. El necesita *usar* sus palabras sueltas cuanto antes.

Le encanta el *quinto paso*, pero necesita repasar mucho los *pasos tercero y cuarto* para reforzar bien los *pasos primero y segundo*.

Cómo empezar el método con un niño de cuarenta y ocho a setenta y dos meses

Todo aquello que es importante para un niño de treinta a cuarenta y ocho meses es más importante todavía para un niño de cuarenta y ocho a setenta y dos meses de edad.

Vamos a resumir esos puntos:

1. No asimila datos escuetos (palabras sueltas) con tanta rapidez como un bebé.
2. No memoriza datos escuetos tan fácilmente como un bebé.
3. Tiene gustos y desagrados *muy* desarrollados.
4. Necesita que le dé pares, frases y libros rápidamente para reforzar las palabras sueltas que retire.
5. Debe diseñar su programa de lectura eligiendo el vocabulario que le gusta y desea aprender.

En este punto, las madres pueden ver a su niño de cuatro años con un poco de ansiedad y decir: "Bueno chiquitín, creo que ya se te hizo tarde."

No es así.

Comparado con un bebé de seis meses, sí, al niño de dos años ya se le hizo tarde, pero, ¿qué importa? Un niño de cuatro años es un tragafuego consumado en comparación con un niño de ocho años o aun seis, así es que dejemos de preocuparnos y continuemos. Hay miles de excelentes lectores que empezaron cuando tenían cuatro años.

A su niño de cuatro años le espera un verdadero banquete y no tiene tiempo que perder. Repito, empiece con lo que le interesa a la criatura. Si está obsesionado con las herramientas, baje al sótano, saque todas las herramientas y averigüe cómo se llaman. Empiece por hacer palabras sueltas sobre cada herramienta que tenga en casa. Consulte un diccionario y encuentre los sinónimos. Después, por ejemplo, use la palabra *gordo* y haga un juego de palabras con el mismo significado: corpulento, grueso, obeso, robusto o rollizo. Le atraerán mucho tiempo a su hijo esas palabras.

El español tiene más de un millón de palabras. Usted no tendrá dificultad para encontrar cientos de ellas que fascinen a su hijo.

Repito, no pierda el tiempo con *gato* y *pato*. Empiece con palabras complicadas y siga con ellas. Una vez que su hijo se interese en el programa de lectura, captará por sí mismo las palabras de uso cotidiano sin dificultad. Será muy sencillo repasar el vocabulario de uso diario y enseñárselo después. El punto es que debe empezar en el territorio *del niño* para lograr que acepte jugar a leer y esto es bastante justo.

Después de tener suficientes palabras sueltas para escribir un libro, escríbalo. No espere a tener cien palabras. En cuanto tenga treinta o cuarenta palabras, empiece a hacer libros con las palabras que haya retirado.

Su hijo querrá leer libros, así es que hágale libros con base en sus palabras sueltas. Tal vez necesite hacer docenas y docenas de libros caseros con letra grande. Será una inversión de tiempo y energía muy pequeña en comparación con su gozo cuando devore sus primeros libros. Conocemos muchas criatura encantadoras que leían felices los libros de cuarto de primaria en la biblioteca desde que tenían seis años; niños que habían empezado a los cuatro años, cuando ya "se les había hecho tarde."

En esta etapa se presenta la tentación, casi invencible de pedirle a su hijo que lea en voz alta. Leer en voz alta es un ejercicio que se pide a los niño de las escuelas primarias para demostrar que saben leer.

De hecho, leer en voz alta disminuye el ritmo de todo buen lector. Siempre que baja la velocidad al leer, baja también la comprensión de lo leído. Cuando la comprensión disminuye, el gozo también empieza a disminuir. Si le pedimos a un adulto común y corriente que lea en voz alta la página principal del periódico matutino, se encontrará a sí mismo releyendo para averiguar de qué trataban los artículos. Leer en voz alta no es divertido ni para usted ni para mí. Es una *pésima* idea para los niños de primaria que luchan por aprender a leer a los seis y siete años, cuando es mucho más difícil adquirir esta habilidad que cuando eran bebitos.

Pedir que lean en voz alta disminuye mucho la velocidad de la lectura aun de niños mayores. *Recuerde, cuando baja la velocidad al leer, baja la comprensión.* Por lo tanto, cualquier cosa que frene la velocidad frenará la comprensión. Niños que aprenden a leer desde muy pequeños son lectores rápidos por naturaleza.

Repito, el punto en este momento es muy sencillo: la lectura se realiza con la vista y con el canal visual, no con la boca y con el canal bucal. Si su hijo quiere leer para usted, excelente. Si no, deje que lea en silencio: leerá mejor y con mayor velocidad de esa manera.

Ya hemos visto los elementos básicos de la buena enseñanza y el camino que hay que seguir para enseñarle a leer a su hijo y cómo empezar el método según la edad.

Los exámenes

Hemos hablado mucho sobre la enseñanza pero no hemos dicho nada sobre los exámenes.

Nuestro consejo más importante sobre este punto es que *no* ponga a prueba a su hijo. A los bebé les encanta aprender pero odian que los examinen. En esto se parecen mucho a los adultos. Los exámenes son lo opuesto de la enseñanza. Están cargados de tensión.

Enseñar a un bebé significa darle un espléndido regalo.

Ponerlo a prueba significa exigir el pago por adelantado.

Entre más lo ponga a prueba, más lento será su aprendizaje y menos querrá hacerlo.

Entre menos lo examine, más rápidamente aprenderá y más deseará aprender.

El conocimiento es el mejor regalo que puede darle a su hijo. Délo con la misma generosidad con que lo alimenta.

¿Qué es un examen?

¿Qué es un examen? En esencia es un intento por descubrir qué es lo que el niño *no* sabe. Es ponerlo en ridículo al levantar una tarjeta y preguntar: "¿Qué dice aquí?" o "¿Puedes leerle en voz alta esta página a tu papá?" Es básicamente una falta de respeto al niño porque él capta que nosotros no creemos que pueda leer a menos que lo demuestre una y otra vez.

El propósito de los exámenes es negativo: exponer lo que el niño no sabe.

Una vez Winston Churchil escribió lo siguiente sobre su propia experiencia con la escuela:

"Estos exámenes eran una tortura para mí. Los temas que más apreciaban los examinadores eran casi invariablemente los que menos me atraían... Me hubiese gustado que me preguntaran lo que *sí* sabía. Siempre procuraban preguntarme lo que *no* sabía. Cuando yo habría demostrado de buena gana mis conocimientos, se empeñaban en poner en evidencia mi ignorancia. Esto sólo tenía un resultado: yo no salía bien en mis exámenes..."

Como hemos dicho, y nunca llegaremos a repetirlo lo suficiente, el resultado de los exámenes es la disminución del aprendizaje y de la *voluntad* de aprender.

No ponga a prueba a su hijo y no permita que nadie lo haga.

Oportunidades para resolver problemas

¿Pues qué ha de hacer entonces una madre? No quiere poner a prueba a su hijo, quiere enseñarle y darle cuanta oportunidad pueda de experimentar el gozo de aprender y de triunfar.

Por lo tanto, en vez de poner a prueba a su hijo le dará oportunidades para resolver problemas.

El propósito de dar oportunidades para resolver problemas es que el niño pueda demostrar lo que sabe, si así lo desea.

Es exactamente lo contrario de los exámenes. Una oportunidad muy sencilla para resolver problemas consiste en mostrarle dos de sus tarjetas favoritas. Digamos que elige usted "manzana" y "plátano", las muestra y pregunta: "¿Dónde dice plátano?" Esta es una oportunidad muy buena para que el bebé mire o toque la tarjeta si así lo desea. Si su bebé mira o toca la tarjeta *plátano*, usted naturalmente queda encantada y lo expresa efusivamente. Si mira la otra palabra usted sencillamente dice: "Esta es *manzana*" y "ésta es *plátano*". Usted está contenta, tranquila. Si él no responde a su pregunta sostenga la palabra *plátano* un poco más cerca de él y diga nuevamente, alegre y tranquila: "Esto es *plátano*, ¿o no?" Fin de la oportunidad: *indistintamente de cómo responda, él gana* y usted también, porque lo más probable es que si usted está feliz y tranquila él disfrutará al hacer esto con usted.

Con su hijo de dos años usted mostraría las mismas dos tarjetas pero la pregunta sería diferente: "¿Qué había en tu cereal esta mañana?"

En el mismo caso, con su hijo de tres años la pregunta sería: "¿Qué es largo, amarillo y dulce?"

Con su hijo de cuatro años usted podría preguntar: "¿Cuál se cultiva en Brasil?" Y con el de cinco años, "¿Cuál contiene más potasio?".

Las mismas dos palabras sencillas y sueltas, pero cinco preguntas diferentes según el conocimiento e interés de su hijo.

Una pregunta adecuada ofrece una oportunidad irresistible de resolver el problema.

Hay un mundo de distancia entre esto y la aburrida pregunta de "¿Qué dice aquí?".

Un ejemplo sería la lotería de lectura. La madre elige un grupo de quince a treinta palabras sueltas conocidas, como alimentos, animales u opuestos. Entonces hace un juego de tarjetas de lotería para cada miembro de la familia, pero en vez de hacer una cuadrícula con números hace cuadrículas muy grandes con palabras de lectura grandes y rojas. Una lotería para principiantes puede tener nueve palabras por tarjeta. Cada tarjeta tendrá algunas palabras diferentes para que no haya dos tarjetas idénticas. Entonces la madre da nueve fichas a cada miembro de la familia y les indica que pongan una ficha sobre la palabra de su tarjeta cuando "se cante" dicha palabra.

La madre procede a "cantar" las palabras, asegurándose de que cada niño tiene su oportunidad justa y ayudando a cualquier pequeño que no haya notado una palabra. Quien primero llene su tarjeta con las fichas grita: "¡Lotería!" Este juego se puede realizar al contrario, por ejemplo, con ilustraciones de animales en las tarjetas de la familia y la madre con tarjetas con los nombres escritos. Conforme un niño avanza en la lectura, puede jugar la lotería con pares de palabras en vez de palabras sueltas, después con frases y más adelante con oraciones. Hay muchos juegos maravillosos creados por las madres para dar a sus hijos excelentes oportunidades de aplicar sus conocimientos. Nombre usted uno y es seguro que alguna madre e hijo inteligentes ya lo han hecho y disfrutado.

Estas sesiones de oportunidades son una elegante manera de que su hijo demuestre su éxito en la lectura y de que usted comparta progresos. Si tanto usted como su hijo disfrutan ampliamente estas oportunidades, practíquelas pero nunca abuse. No exagere, por más divertidas que sean.

Si usted desea mostrar dos tarjetas para que su hijo elija una, no lo haga más de una vez por semana y siempre en sesiones muy cortas. No dé más de una oportunidad a la vez para resolver problemas.

A algunos niños les encanta elegir palabras, siempre y cuando nosotros no exageremos. A otros no les gusta. Harán cuanto puedan para desalentar este juego al nunca responder o al elegir siempre, conscientemente, la palabra equivocada. En cualquiera de los dos casos el mensaje es claro. Suspéndalo.

Si por cualquier razón usted o su hijo no disfrutan al resolver problemas, no practique estos ejercicios.

Estas oportunidades de retroalimentarse son realmente más para usted que para su hijo. Su hijo estará mucho más interesado en aprender palabras nuevas que en repasar las que ya sabe.

RESUMEN

Una vez que haya empezado a enseñarle a leer a su hijo, pueden ocurrir una de dos cosas:

1. Descubrirá que todo marcha como sobre ruedas y sentirá más entusiasmo cada vez por aprender sobre cómo enseñar a su bebé, o
2. Puede tener dudas y problemas.

Solución de problemas

Si tiene cualquier pregunta o problema que no pueda resolver, haga lo siguiente:

1. Relea cuidadosamente los capítulos 7 y 8. La gran mayoría de los aspectos técnicos sobre la lectura se tratan en esos dos capítulos. Usted notará lo que perdió la primera vez y podrá corregirlo fácilmente. Si no, siga el paso dos.
2. Relea cuidadosamente este libro: en él tratamos casi todos los aspectos teóricos sobre la lectura. Cada vez que lea el libro lo comprenderá con mayor profundidad porque aumentará su experiencia al enseñar a leer a su hijo. Encontrará la respuesta que busca; si no, siga el paso tres.
3. Los buenos maestros necesitan dormir bien. Duerma más. Las madres, particularmente las madres de niños muy pequeños, casi nunca duermen lo suficiente. Diga francamente cuanto tiempo acostumbra dormir y añada una hora más por lo menos. Si esto no resuelve el problema siga el paso cuatro.
4. Obtenga la videocinta CÓMO ENSEÑAR A LEER A SU BEBE que tenemos en:

The Better Baby Press
8801 Stenton Avenue
Philadelphia, PA 19118 U.S.A.
Teléfono: (215) 233-2050

Con ella podrá ver las demostraciones de las madres que enseñan a leer a sus criaturas. A muchas madres esto les ayuda. Le dará la confianza que necesita; si no, siga el paso cinco.

5. Escríbanos y díganos qué está haciendo y cuál es su pregunta. Contestamos personalmente cada una de las cartas y lo hemos hecho durante más de un cuarto de siglo. Pude que nos tardemos un poco en contestar porque nos escriben madres de todo el mundo; por ello, asegúrese de que *realmente* ha repasado los pasos uno al cuatro antes de escribir; pero, si todo lo anterior falla, por favor, escríbanos.

Más información

Si usted desea aprender más sobre cómo enseñar a su bebé, haga lo siguiente:

1. Asista al curso: "Cómo multiplicar la inteligencia de su bebé." Es un curso de siete días para madres y padres. La lectura es uno de los muchos temas que cubrimos. Es un curso maravilloso que toda madre y todo padre deberían tomar cuando sus hijos son pequeños o cuando los padres están esperando un bebé nuevo. Para mayor información llame o escriba a:

The Registrar
The Institutes for the Achievement of
Human Potencial
8801 Stenton Avenue
Philadelphia, PA 19118 U.S.A.
Teléfono: (215) 233-2050

2. Lea los otros libros de la *Serie de la Revolución Pacífica* que aparecen al principio de este libro.

3. Consiga los materiales de la *Serie de la Revolución Pacífica* que mencionamos al final del libro.

4. Escriba y díganos qué está haciendo y cómo progresa su hijo. Su información es valiosa para nosotros y para las siguientes generaciones de madres.

9
Escuchemos a las madres

¡Oh, qué gran fuerza tiene la maternidad!

—EURÍPIDES

[Marzo de 1990]

Cómo enseñar a leer a su bebé fue escrito en 1963 y publicado en 1964.

Ha transcurrido más de un cuarto de siglo desde que el libro vio la luz primera. Empezó como un conjunto de instrucciones para las madres a las que mi esposa, Katie, había aceptado enseñar... siempre y cuando yo escribiese una lista precisa de las instrucciones que le sirviera de guía.

El recuerdo de la noche en que empecé a escribir está grabado en mi memoria. La intención original era llenar de cuatro a cinco páginas con notas organizadas. En un abrir y cerrar de ojos llené diez páginas y tuve una idea. ¿Por qué no mejor mimeografiar las notas y dar a cada madre una copia de ellas después de que Katie les hubiese enseñado? Magnífica idea.

Los minutos se volvieron en horas y las instrucciones

llenaron veinticinco hojas completas. Además parecían suficientemente claras y legibles. De hecho, estaban bastante bien para darles un formato permanente. Tal vez debía imprimirles en vez de mimeografiarles, y hacerlo como un curso formal.

Mi emoción crecía a medida que acumulaba las oraciones y los párrafos acomodados y aumentaba el número de las páginas; pero también me empezó a molestar una preocupación. Imprimir formalmente un documento de este tamaño sería costoso. Probablemente costase miles de pesos. ¿De dónde obtendríamos el dinero? Los Institutos eran (y son) organizaciones civiles no lucrativas, no únicamente en el sentido federal y estatal de estar exentos de impuestos, sino también en el sentido financiero. El equipo de profesionales de primera recibía salarios tan bajos que daba vergüenza. ¿Aprobaría el Consejo Directivo tal gasto, aunque encontrásemos el dinero?

La emoción por lo que sucedía superó a la preocupación (la esperanza eterna que brota en el corazón humano) por el aspecto financiero y yo escribía el documento a todo vapor.

Hacía mucho que habían sonado las doce de la noche cuando todo se aclaró. Era demasiado largo para constituir un documento o inclusive un artículo; y aún quedaba mucho en el tintero. Evidentemente iba a formar un folleto; un folleto más bien grueso. Señor mío, costaría una millonada imprimirlo. No era posible que el Consejo Directivo lo autorizase. Yo mismo tendría que votar en contra de la publicación.

¡Hombre! Un folleto ¿No conocíamos una empresa de alimentos o de artículos para bebés que patrocinara el folleto? ¿Que lo pagase todo? ¡Qué gran idea!

La posibilidad de encontrar financiamiento para el folleto aumentaba la emoción cada vez más fuerte de escribirlo; y la idea de cómo le facilitaría a las madres la tarea de enseñar a leer a sus bebés me impulsaba para trabajar hasta altas horas de la madrugada. Conforme corrían las horas y aumentaba el número de páginas, la realidad empezó a moderar mi júbilo. Ya era demasiado largo para constituir un folleto; por lo menos tendría cincuenta páginas, tal vez cien, o quizá más. Las esperanzas de encontrar fondos para imprimirlo se desvanecieron. Era una lástima porque era algo importante, algo que valía la pena leer.

El problema era que había dejado de ser una serie de instrucciones, o un documento, o artículo, o un folleto, como lo había pensado; el problema era que se había convertido en un libro.

Un libro. ¿Un libro? ¡Santo cielo, iba a ser un *libro*, un LIBRO, un libro! Uno no paga por imprimir libros, la editorial le paga a uno por hacerlo.

Era de madrugada pero Katie estaba despierta.

"Hazel, Katie, espera a que te cuente. Estoy escribiendo un libro. ¡Un libro, fíjate! No otro artículo para profesionales sino un verdadero libro para personas reales, para madres y para padres. ¿Qué te parece? ¡Apuesto a que se venden cinco mil ejemplares!"

"¿Será un libro para enseñar a las madres cómo enseñar a leer a sus bebés?", preguntó Katie.

Exactamente.

Desde aquella madrugada, hace más de un cuarto de siglo, *Cómo enseñar a leer a su bebé* se ha publicado en más de veinte idiomas y se sigue traduciendo a otros. Desde entonces se han hecho cientos de impresiones y reimpresiones. Desde entonces, más de dos millones de padres han comprado el libro "para enseñar a leer".

Cuando se publicó el libro original, había cientos de padres que ya habían enseñado a leer a sus pequeños, la mayoría de los cuales tenían lesión cerebral. Hoy hay miles y miles de niños sanos, y miles de niños con lesión cerebral que pueden leer.

¿Cómo lo sabemos?

Mi posesión más preciada en este mundo es una colección de más de cien mil cartas de madres (y padres) que han escrito para contarnos cuánto han disfrutado al enseñar a leer a sus bebés; y cuánto han disfrutado sus bebés

al aprender a leer; para hacerme preguntas sobre los bebés y sobre más libros y materiales para enseñarles a sus
bebés; y para contarme qué les pasó a sus bebés cuando
llegaron a la escuela y cuando crecieron.

Estas cartas constituyen la mayor prueba existente de
que los bebés *quieren* aprender a leer, *pueden* aprender a
leer, *están* aprendiendo a leer y *deberían* aprender a leer.

Estas cartas, que siguen fluyendo diariamente, son tan
centradas, tan cariñosas, tan encantadoras y tan convincentes que se han convertido en mi tesoro.

A veces, cuando la deshumanización del hombre contra el
hombre parece alcanzar un nuevo grado de locura y me sor-
prendo cavilando sobre nuestra supervivencia, voy a mi oficina, cierro la puerta con llave, saco las cartas de las madres y
las leo. Al poco rato estoy sonriendo, mis esperanzas para la
humanidad y para el futuro se cimentan y el sol brilla.

Me parecía que al leer este libro las madres (y los padres) podrían disfrutar con una pequeña muestra de lo
que le sucedía a otras madres (y padres) que habían leído
el libro antes. Las citas son fortuitas en el sentido de que
cada una de ellas representa miles de cartas sorprendentemente parecidas. Tomé las citas de entre cien mil cartas.
No las elegí por ser las mejor o peor escritas, las más encantadoras, las más entusiastas, las más (o menos) científicas, las más (o menos) persuasivas, las más (o menos)
motivadoras. Evidentemente, representan a padres de la
clase media intelectual, educativa y económicamente. Representan al norteamericano promedio, desde los oficinis-
tas en un extremo de la clase media, hasta profesionistas
como abogados, ingenieros, médicos, educadores y científicos, en el otro.

Lo que *todos* tienen en común es que aman profundamente a sus hijos y son lo más importante de sus vidas.

Estas criaturas son verdaderamente *dotadas*; *dotadas* de
padres que tienen bien puestos tanto sus cabezas como sus
corazones. Tal vez este don sea el único verdadero.

Ellos son mi mayor esperanza.

Así pues, he aquí una pequeña muestra sacada de más de cien mil cartas:

LOS PADRES HABLAN DE SUS RESULTADOS

...hasta la fecha, le encanta leer en todos los momentos libres que tiene. De hecho, leer le apasiona. La escuela es fácil para él. ¡Está contento!

Baton Rouge, Luisiana

Muchas gracias por su libro *Cómo enseñar a leer a su bebé*. Mi hija, de veinticinco meses de edad, está aprendiendo a leer feliz y vorazmente...

Deseo seguir con la lectura, pues ahora me doy cuenta de lo maravillosa que es la niña que tengo a mi cargo...

Que Dios bendiga a quienes como ustedes enseñan a personas como yo a ser mejores madres, maestras, compañeras y amigas para sus bebés...

P.D. Supe que estaba realizando correctamente el juego de las palabras cuando mi esposo salió de otra habitación de nuestro departamento para averiguar qué era toda esa algarabía y esos aplausos; y cuando mi pequeña gritó: "¡más palabras!", al guardar el juego de palabras. ¡Esto sí es gozar con el aprendizaje!

Abilene, Texas

¡Mi hijo puede leer! No puedo decirle lo sorprendida y asombrada que estoy.

Recordó el primer juego de tarjetas, que no había visto durante dos meses por lo menos...

Nunca podré agradecerles este don de la enseñanza y siempre les estaré agradecida.

P.D: Zacary tiene trece meses.

New Ringgold, Pennsylvania

Mi pequeña (de dos años y medio) está aprendiendo a leer (encantada, podría agregar) con el método que explica en su libro. Sobra decir que mi esposa y yo estamos emocionados y felices con el trabajo de ustedes. Creo que es el descubrimiento actual más importante sobre la "educación" de la niñez, que yo sepa; y como padre, siento por ustedes un gran respeto. Podría seguir y seguir escribiéndoles, pero estoy seguro de que ya han leído todo esto antes...

Mesa, Arizona

Acabo de leer su libro *Cómo enseñar a leer a su bebé*, y he empezado a enseñarle a leer a mi hija de diecisiete meses. Estoy muy emocionada y entusiasmada con este proyecto. Creo que es el mejor regalo de cumpleaños que puedo darle a mi hija.

Lowell, Massachusetts

Somos padres de dos criaturas; una de seis años y otra de diecinueve meses. Estamos enseñando a la más pequeña con el sistema de usted. Funciona (y funciona bien). Y que Dios lo bendiga por ello...

Supongo que le han dicho esto con mucha frecuencia, pero quienes pongan a prueba su sistema nunca podrán elogiarlo demasiado. Usted es muy apreciado en el círculo de mis amistades

Maharashtra, India

Tengo un hijo de cuatro años de edad que estaba tan deseoso de aprender que vio diez palabras el primer día y no quería dejarlo para ir a dormir, y a la mañana siguiente se levantó a las 6 a.m. listo para seguir de nuevo...

¡Es el descubrimiento más afortunado en mi profesión de madre! Hubiese deseado hacer esto con mis tres hijos mayores (4°, 3° y 1° grados de primaria).

St. Johns, Arizona

Hemos comprado varios de sus libros, su juego de matemáticas y el de lectura, y hemos usado esporádicamente su programa con nuestra primera hija (Emily), que tiene ahora cuatro años. Sigue deleitándonos con sus habilidades y su alegría al aprender...

A pesar de no apegarnos a ello durante periodos prolongados, creemos que ha dado un impulso maravilloso a la pequeña, y logramos establecer un lazo muy íntimo y respetuoso...

Greene, Nueva York

Muchas gracias por su novedoso libro *Cómo enseñar a leer a su bebé*, nos motivó a intentarlo con nuestro sobrino. Tiene dos años tres meses y ahora puede leer más de cincuenta palabras en inglés, algunas bastante difíciles. Después de que sus padres le aplicaron el método hace sólo unos cuantos meses.

Creemos que esto es muy significativo, tomando en cuenta que este pequeño nació y vive en las Filipinas, donde el inglés no es la lengua materna.

West Covina, California

...Nuestra Elizabeth tiene veintiún meses y su interés por aprender nos sorprende cada día más. Mi madre lo vio recientemente en la televisión. Tenemos sus dos libros y acabamos de empezar con el de lectura. Ahora Elizabeth puede leer "mamá" y "papá". ¡Muchas gracias!

Nació con un problema cardiaco y sobrevivió a una cirugía delicada del corazón. No es tan activa como otras criaturas y se divierte tanto como yo con este nuevo juego de lectura. No hay muchos juegos que capten el interés de un niño...

Santa María, California

Les escribí hace cerca de un año para hacerles saber que mi hija, en ese entonces de dos años de edad, podía leer unas sesenta palabras. Ha transcurrido un año y me complace decirles que ahora lee libros como una profesional. ¡Puede leer casi cualquier libro y comprende lo que lee! Les agradezco por su libro *Cómo enseñar a leer a su bebé*. Quisiera que hubiera más madres que se diesen cuenta de cuánto disfrutan los bebés la experiencia de aprender. Mi hija, Josie, lee mucho mejor, creo yo, que los niños cuatro años más grandes que ella (¡o aún más!)

...Me siento muy agradecida por poder ayudar a mi hija a aprender. Lo disfruta enormemente y me pide por favor que "juegue a la escuela" con ella. ¡Ciertamente, a los bebés les encanta aprender!

Covington, Luisiana

Han logrado lo "imposible". Si hace seis meses alguien me hubiese dicho que mi hijo de dos años de edad podría leer a los tres, yo hubiese dicho: "imposible".

Nueva Orleans, Luisiana

Leí por primera vez *Cómo enseñar a leer a su bebé* cuando nuestro hijo tenía *catorce mese*s. Empezamos lentamente, preparando y reuniendo primero todo el material, etc. ¡Pero, a los *dieciocho meses*, mi hijo empezó a hablar claramente y entonces *me di cuenta de que estaba aprendiéndolo todo!* Nunca le gustaba que se le pusiera a prueba. ¡Y, antes de que hablara, no siempre era fácil saber si aprendía, pero ahora... *maravilloso!* ¡Estamos de verás emocionados con *todo*!

Gracias por hacernos comprender.

Falls Church, Virginia

Escribo para decirles que mi experiencia personal ha sido maravillosa. Empecé el programa con mi hija que tenía veintiséis meses en febrero. Para finales de marzo leía "adiós mamá". Ahora, a los treinta y cuatro meses y medio lo lee todo, cualquier cosa que tenga a la vista. Puede pronunciar las palabras casi tan bien como cualquiera de los niños del quinto año de primaria que tuve durante diez años de maestra.

Omaha, Nebraska

Compré su libro *Cómo enseñar a leer a su bebé*, cuando mi hija mayor, Lara, tenía siete meses y vivíamos en Vancouver, B.C., Canadá. Gateaba hacia las tarjetas antes de poder hablar, caminar; y ahora que tiene cuatro años lee muy bien.

British Columbia

Usé el método de ustedes con mi nieta de dos años y pudo leer el *Reader's Digest* a los tres. Actualmente, a los dieciséis, es una estudiante de primera en Los Angeles. Recomiendo su libro a todas las madres jóvenes. Gracias...

Escondido, California

Leí su libro *Cómo enseñar a leer a su bebé*, y estoy de plano encantada con los resultados que obtuve con mi hija de treinta y cinco meses. ¡Empecé a enseñarle hace únicamente cuatro días y está captando las palabras a un ritmo fenomenal! ¡Por supuesto que puedo estar prejuiciada porque se trata de mi hija, pero este programa es verdaderamente emocionante.

Orem, Utah

Usé este método para enseñarle a leer a mi hija. Es una lectora excelente y lo fue durante todos sus años escolares. Ahora tiene su propio bebé.

Bishop, California

Cuando mi hija tenía cerca de un año de edad, vi un programa de los Institutos que mostraban a niños "deficientes" mentales que podían leer y a bebés que podían identificar cierto número de puntos. Intenté usar con mi bebé las técnicas mostradas. Aprendió a leer palabras a los dos años, oraciones a los tres y libros completos a los cuatro.

East Stroudsburg, Pennsylvania

...Lo que escuché me pareció muy lógico y empecé este programa con mis mellizos cuando tenían dos años. Ahora tienen trece y siempre son los primeros de su clase. De hecho, han sido colocados por las escuelas en una clase para niños "dotados". Leían con fluidez y comprensión a los tres, y escribían a los cuatro. Esta experiencia fue una de las más satisfactorias que tuve al criar a mis hijos.

Maple Ridge, British Columbia

Tuvimos éxito al enseñar a leer a nuestro primer hijo cuando era muy pequeño, usando su libro *Cómo enseñar a leer a su bebé*. El pasado mes de mayo, en primer grado de primaria, obtuvo el primer lugar de su clase, a un nivel de cuarto grado de lectura y comprensión.

Debo confesar que recibí un ejemplar de su libro como una broma, pues yo leo mucho.

Mi familia se desternillaba de la risa cuando use los métodos con mi hijo de diecinueve meses de edad, pero dejaron de reír cuando, a los dos años y medio leía libros.

¡Nuestro único problema surgió cuando viajábamos y nuestro hijo podía leer los anuncios de los restaurantes de la carretera... y quería detenerse en cada uno!

Piketon, Ontario

Hace aproximadamente veinte años ordené su juego de lectura a través de *Ladies Home Journal* y con él empecé a enseñarle a mi hija de dieciocho meses. Ahora ella tiene veintidós años y es una reconocida reportera taquigráfica acreditada; su trabajo tiene mucho que ver con las palabras.

Escondido, California

Hace ocho años encontré casualmente su libro *Cómo enseñar a leer a su bebé* y decidí ensayar sus métodos con mi hija, que entonces tenía tres años. Fue todo un éxito, a pesar de que no lo apliqué como debía y desde entonces ha estado leyendo una enormidad.

Cuando nació mi segunda hija, me hice el propósito de hacerlo bien desde el principio hasta el final, pero si mis intenciones eran buenas, me faltaba tiempo, y recibió todavía menos clases que la primera. Nuevamente pegó y, como su hermana, leía a una edad menor y con mayor capacidad que cualquier otro niño.

Para cuando llegó mi hijo estaba totalmente convencida; ahora tiene cuatro años y maravilla a todos con su habilidad. Cada vez fue una experiencia sumamente satisfactoria para mí; y, ni por todo el dinero del mundo me hubiese perdido el momento en el que todo salía a pedir de boca para cada uno de mis hijos.

Petaluma, California

CARTAS COMPLETAS DE LOS PADRES

Por favor discúlpeme si le escribo como si lo conociera personalmente. Ahora permítanme decir: "hola", después de muchos años de pensar en ustedes y en su trabajo en los Institutos para el Logro del Potencial Humano. El hecho es que siento que ninguna palabra que escriba es la adecuada para expresar la gratitud que les debo por las palabras de su libro (*Cómo enseñar a leer a su bebé*) y por los descubrimientos que usted y su equipo han realizado y escrito tan bien.

En 1972, poco después del nacimiento de mi primer hijo, encontré su libro. Fue en la librería W.H. Smith's, en Southhampton, en la Costa sur de Inglaterra. En 1973 nos cambiamos a la isla Mauritania en el Océano Indico. Allá, en las playas arenosas y claras, bajo la sombra de la bugambilia le enseñamos a leer siguiendo sus métodos. A los tres años podía leer muy bien *Viaje a la luna* de P.D. Eastman. Mis suegros se quejaron amargamente cuando regresamos a Inglaterra ese año porque pasábamos mucho tiempo leyendo antes de la hora de ir a dormir y decían que era muy pequeño para leer. A los siete tenía una edad de once al leer y a los trece ganó una beca completa para Harrow, para sorpresa y placer enormes de muchos miembros de su orgullosa familia. Cumple diecisiete años en julio.

También usamos sus métodos con mis dos hijas, cuyo amor por la lectura y los libros da gusto ver.

Diré también que en febrero de este año mi esposa Jennifer se encargó de enseñar con sus métodos a la hija de una amiga, probablemente con lesión cerebral, después de que el inspector escolar había dicho que la criatura debía pasar los próximos seis meses aprendiendo la letra *c*. Cualquiera puede ver el brillo de la inteligencia en los azules ojos de la joven Anna Ross. Tiene cinco años de edad.

La secretaria de la oficina donde trabajo tiene un hijo de quince meses y ahora disfruta mucho al enseñarle a leer.

Jennifer y yo creemos que sus métodos podrían ayudar mucho a Anna Ross a mejorar la organización neurológica y capacitar a la pequeña criatura para marchar al ritmo de su hermano mayor y de su hermana menor o, tal vez, nos atrevemos a esperar, a superarlos.

Señor, mil gracias por el gran logro y fuerza de sus descubrimientos y por los beneficios que han brindado a mi familia.

Si su Instituto conserva los registros con propósitos estadísticos y necesita cualquiera de los nuestros, por favor déjemelo saber.

Taunton, Inglaterra

Deseaba darles las gracias de todo corazón por abrir a mis hijos un mundo tan emocionante.

Cuando mi hijo Aarón tenía tres años, leí el libro de ustedes *Cómo enseñar a leer a su bebé*. Empecé con muchas dudas el programa. Seis meses después Aarón leía una gran cantidad de palabras del vocabulario, pero para mayor sorpresa mía, su hermana (de un año y medio) había aprendido al mismo tiempo que él. Un día tomó las palabras y las leyó todas, una por una. ¡Hoy (después de cinco años) mis hijos funcionan excelentemente. Les encanta la escuela y les encanta aprender. Trisha (de casi siete años) ha escrito dos de sus propios libros así como muchos cuentos. Muchas gracias por su investigación y por su libro.

Ahora espero al tercero y me encantaría ampliar la enseñanza con esta criatura. Desearía poder asistir al Instituto pero económicamente nos es imposible. Lo que me gustaría es cierta información y su curso por correspondencia junto con una lista de sus libros y de otros materiales. Asimismo, cualquier información que puedan proporcionar sobre cómo enseñar lenguas extranjeras y música a los bebés.

He dado toda la información que tengo a muchas personas a mi alrededor, así como a misioneros que tienen que enseñar a sus propios hijos cuando están en la misión. Gracias.

Newberg, Oregon

Acabó de terminar de leer su nuevo libro: *Cómo multiplicar la inteligencia de su bebé*. No tengo palabras para decirles lo contenta que estoy porque hayan escrito este libro. Evidentemente se merecen el Premio Nobel.

Hace más de veinte años que compré un ejemplar de *Cómo enseñar a leer a su bebé* e inmediatamente enseñé a leer a mis tres hijos mucho antes que fueran a la escuela. Los resultados fueron (y son) muy impresionantes. Defendí su idea (y aun lo hago) entre amigos que tienen criaturas pequeñas. Puse de ejemplo a mis hijos e inclusive obsequié algunas copias de su libro. Sin embargo, que yo sepa, nadie más enseñó a leer a su bebé. Supongo que siento algo de la frustración que ustedes deben sentir. Como dijo Winston Churchil una vez: "Los hombres tropiezan algunas veces con la verdad, pero la mayoría se levantan y se retira apresuradamente como si nada pasara".

Me gustaría poder platicar con ustedes algún día. Soy ingeniero en computación y mi especialidad es la inteligencia artificial. Podríamos tener cosas que contarnos. Si alguna vez vienen a Washington, llámenme.

Me pregunto si les interesaría que llevara algún día al

Instituto a mi hija Katherine. Ahora estudia en Bryn Mawr. Fue finalista en una Beca al Mérito y ganó un concurso nacional de poesía a los doce años. Tal vez pudiera explicar a una de las clases de ustedes qué se siente crecer como una superniña (ella está de acuerdo).

Ahora enseño a mi hija menor, Bethany, de un año. Sin lugar a dudas realizaré un trabajo mejor debido al nuevo libro de ustedes.

Fort Washington, Maryland

En 1963 tuve mi primer contacto con sus materiales, cuando nació mi hermano menor. Mi madre leyó su libro (acabado de imprimir) y apostó con papá a que podía enseñar al bebé a leer. Ken leía muchas palabras que veía en la televisión desde muy pequeño. Todas nosotras (tres hermanas) ayudamos con el juego de palabras. Mamá las escribió en le pizarrón de la cocina. Cortó las cartulinas que venían de la tintorería con las camisas de mi papá y escribió en ellas las palabras. Los registros del libro del bebé indican que podía leer 55 palabras para su segundo cumpleaños, y que podía leer casi todo para el tercero. Le gustó escribir cuando era niño y escribió muchos libritos con todo e ilustraciones.

Cuando Ken estaba en la escuela primaria yo estaba en preparatoria y empecé a enseñarle algunos elementos de álgebra y geometría. Competía en los equipos de matemáticas en la preparatoria y a la fecha sobresale en matemáticas. Si narrara todos los proyectos y logros de mi hermano cuando era un niño, llenaría un libro. Estoy convencida de que ello fue resultado de su educación temprana. Ken ha ganado muchos honores y premios, obtuvo el segundo lugar en preparatoria y actualmente goza de una beca académica en la universidad, en donde estudia ingeniería. También estaba (y está) socialmente bien adaptado. Ahora tengo a mi propia bebita. Madeline tiene dos años y estoy usando con ella tanto sus materiales de lectura como los de matemáticas. También leí *En el jardín de niños ya es muy tarde*, que me inspiró para mostrar a Madeline todo tipo de cosas: música clásica, dibujo y pintura, gimnasia, geografía, películas, la Biblia, natación y muchas otras experiencias de aprendizaje.

Tiene una gran colección de rompecabezas y le encanta sentarse a armarlos durante horas. Está aprendiendo con su mapa rompecabezas los estados de los Estados Unidos de América, y, con sus tarjetas los países del mundo, los presidentes de los Estados Unidos de América, etcétera.

¡Es una criatura encantadora, con excelente habilidad verbal, mente ágil y muy buen sentido del humor! Aquí entre nos, les diré que está mucho más adelantada que otros niños de su edad, y las personas lo comentan constantemente.

Dallas, Texas

Acabo de leer en el *Reader's Diggest* de diciembre que ustedes ayudaron a Joan Collins y a su esposo a rehabilitar casi completamente a su hija, después de un accidente automovilístico. Ello me motivó a escribir para agradecerles por decirme cómo enseñar a leer a mi hijo mayor, hoy de cuatro años.

Hace tres años, mi padre me compró *Cómo enseñar a leer a su bebé*, de Glenn Doman, y la vida ha cambiado desde entonces. A mi hijo le encanta leer: nuestra salida de compras de los viernes nos lleva a la biblioteca, en donde se pasa horas leyendo solo mientras yo recorro los supermercados sintiendo pena por las madres que jalan con ellas a sus renuentes pequeños. Los libros de esta semana contenían palabras como "irritable", "irremplazable" y "parafernalia". Ninguna le costó mucho trabajo...

Benfleet, Essex, Inglaterra

Nuestra relación con ustedes y con el Instituto Evan Thomas nos ha brindado muchas oportunidades a mi esposa y a mí, de trabajar con nuestro hijo y con nuestra nueva hija, Alexis, en la etapa más preciada de sus vidas (Alexis tiene cuatro meses y le pasamos todos los días sus tarjetas de Bits de Inteligencia y de palabras). Definitivamente le encantan. Alejandro no ve únicamente sus propios Bits, sino que también insiste en pasarle a Alexis las tarjetas de ella. Es un niño saludable y alegre que despierta feliz, y se va a la cama más feliz, más sabio y con más confianza en sí mismo. No es únicamente brillante sino que también da gusto estar con él. Nunca ha sido el "terrible niño de los dos años de edad" y ahora tiene dos años y diez meses.

La Universidad de Columbia está analizando el caso de Alejandro para inscribirlo en su programa para niños superdotados. Como únicamente admiten en el programa a catorce niños de entre miles de solicitudes, se le pidió que se sometiera al *test* de inteligencia de Stanford-Binet, que le fue aplicado en el centro de exámenes elegido por la Universidad de Columbia. Anexo el reporte para su información y comentarios.

El psicólogo comentó que su C.I. es muy superior a los 160; pero que el *test* no medía más allá de los 160. También comentó que, sin lugar a dudas, Alejandro era el niño más inteligente que había examinado personalmente (el psicólogo ha estado examinando niños durante muchos años). No es necesario decir que, de cualquier manera, seguirá con el Programa fuera del Campus del Instituto Evan Thomas y que lo consideramos un programa mucho más importante. Estamos convencidos de que su C.I. es un resultado directo de sus técnicas y programas.

Por favor acepten nuestro agradecimiento y nuestros mejores deseos de que gocen siempre de buena salud y sigan investigando para la comprensión y el desarrollo de los niños.

Nueva York, Nueva York

Esta es sólo una pequeña nota informal para hacerles saber cómo se desempeñan algunos de "sus niños". De hecho, quería usar nuestro procesador de palabras e impresora de la computadora, pero cuando fui por las fotografías Alex tomó mi lugar frente a la computadora y ahora tengo que usar esta máquina de escribir vieja. Por favor disculpen mis errores.

La gran noticia es que Benjamín (dos años y medio) está leyendo solo, inclusive libros que nunca antes había visto. Por supuesto, esto no es sorprendente para ustedes ni para nosotros, pero aun me emociona escucharlo leer un cuento a su niñera (en vez de que sea al revés) (Fotos #1 y #2.)

Fotos #3 y #4: Naturalmente, a los cuatro años y medio Alex quiere algo más difícil que "Los tres cochinitos" de Benjamín. Aquí está leyendo (por milésima vez) el *Libro de Nuestro Mundo* del *National Geographic*, y estudiando la información final del libro con gran entusiasmo.

#5. Ben y Alex están ocupados trabajando: Alex escribe con un lápiz. ¡Benjamín aun no sabe escribir a mano, pero eso no le preocupa: sencillamente, usa la máquina de escribir!

#6. Benjamín está mecanografiando. Alex se entretiene con nuestra computadora. El programa con que está trabajando es para niños de diez años o más. Les encantará saber que todo lo que yo hice fue cargarle el disket y dejarlo a cargo de la niñera mientras iba de compras. Cuando regresé, una hora después, estaba ocupado jugando con el programa. Como había leído y comprendido las instrucciones él solo, me lo pudo explicar y nos divertimos mucho jugándolo (La Gran Carrera de Maine a California, en el que uno tiene que responder preguntas sobre los estados para avanzar hacia el Este).

#8. Una escena muy común de Alexis en su cuarto.

Como de costumbre, podría seguir y seguir platicándoles sobre estas dos encantadoras criaturas. Nos dan mucha alegría, por no mencionar la frecuencia con que nos dejan mudos de sorpresa y admiración.

Por favor, extienda mis mejores deseos y saludos al personal, especialmente a Susan Aisen, quien ha sido una gran ayuda todos estos años.

¡Hora de regresar al trabajo, para ustedes y para mí!

¡Madre Profesional!
"(¡Y disfrutándolo todo el tiempo!)"

Merion, Pennsylvania

He leído con mucho interés tanto su carta sobre cómo enseñar a leer uno mismo a su bebé, como la información dada a conocer por la *Enciclopedia Británica*, en su Programa de Lectura para un Bebé Mejor. Esto nos trajo a mi esposo y a mí muchos recuerdos agradables, y saqué su libro *Cómo enseñar a leer a su bebé* y observé que la fecha era 26 de octubre de 1964. En aquellos días, nuestro hijo Keith tenía dieciséis meses. Poco antes de conseguir su libro habíamos leído un artículo sobre su trabajo en los Institutos para el Logro del Potencial Humano. Con gran entusiasmo, mi esposo y yo nos dedicamos a enseñar a leer a Keith. Primero escribimos muchas tarjetas y lanzamos el programa cuando Keith tenía diecisiete meses. Los resultados fueron "pasmosos".

Ahora Keith tiene diecinueve años. Egresó del Colegio St Francis y fue el orador del grupo de química y de biología a los quince años, por haber sido el mejor estudiante. Está en la Universidad de Indiana como doble estudiante de medicina y doctorado (combina los grados de maestría y doctorado en medicina) y se recibirá de médico dentro de un año (a los veinte); dentro de dos años acabará su maestría y después seguirá especializándose en el ramo médico que elija.

Decir que hemos disfrutado enormemente los logros de Keith sería muy poco. No hay duda de que su habilidad para leer a temprana edad ha impulsado su progreso a lo largo de los años; y, a propósito, es una persona bien adaptada socialmente y nunca ha tenido problemas serios con sus compañeros, que siempre han sido entre cinco y siete años mayores que Keith. Siempre ha sido bien aceptado por sus condiscípulos, maestros y colegas profesionales.

Es un organista consumado; construyó un órgano de tamaño natural para teatro a los nueve años de edad; y también sabe cantar y toca la guitarra. Tiene su propio grupo folklórico en la Iglesia católica de San Pablo en Bloomington (Campus de la Universidad de Indiana), Indiana.

El resumen biográfico adjunto fue elaborado por Keith hace más de un año para actualizar su beca del Seguro de Fondos Médicos de la que ha gozado desde que estaba en la Escuela de Medicina de la Universidad de Indiana en Bloomington, Indiana.

En vista de su evidente gozo con los relatos de éxitos que le ayudan a disipar la depresión, tal vez ésta también pueda proporcionar a su alma un poco de luz.

Nos encantaría tener noticias suyas y, en cierto sentido, puede considerar a Keith como uno de sus éxitos. Con seguridad le daría mucho gusto verlo algún día.

P.D. Keith va a la cabeza de su clase de medicina, por cuatro años consecutivos, con "diez" en todo.

Ft. Wayne, Indiana

Sé que usted debe ser un hombre muy ocupado pero espero que me pueda ayudar. Tengo una hija que ahora tiene dieciséis meses y me gustaría mucho poder enseñarle. Me doy cuenta de que ya está muy crecida para iniciar el programa, pero espero que si empiezo pronto aún se beneficiará.

Leí su libro *Cómo enseñar a leer a su bebé* y acabo de empezar a enseñarle las palabras "mamá" y "papá". Ha estado escuchando discos de Suzuki y de música clásica desde que nació. Vivimos en Camerún, en el Africa Central, y ella ha escuchado francés pues éste es un país de habla francesa y fue una colonia de Francia. No tenemos piscinas de agua caliente y la única piscina disponible es muy fría (lo que sorprende en Africa), por lo tanto no he podido enseñar a nadar a María aunque la meto al agua algunos minutos y está acostumbrada a que la sumerja. Aún es una niña de pecho y tiene una dieta nutritiva muy buena, sin azúcar, aunque no ha recibido muchas dosis de vitaminas (aquí no las hay). He pasado mucho tiempo con ella y avanza en su desarrollo.

Una cosa que María sí tiene son cuatro hermanas mayores que juegan con ella y la estimulan de muchas maneras. Tienen entre siete y doce años y son increíbles con ella. Con el libro de ustedes enseñé a leer a la mayor cuando tenía tres años. Es una lectora excelente y escribe bien. También enseñé a leer a las otras antes de que fuesen a la escuela y las cuatro son las mejores de sus clases. Dos de las niñas son adoptadas, así es que tienen genes* muy diferentes.

Espero que me puedan dar alguna guía. Por supuesto, pagaré los materiales que me manden. Muchas gracias por su ayuda.

P.D. Olvidé mencionar que soy maestra de Suzuki (violín) y enseño el violín a mis cuatro criaturas ya que aquí en Africa no hay maestros. Por ello sé cuanta capacidad de aprendizaje tienen los niños. ¿Hay ejercicios y actividades que pueda hacer para estimular el desarrollo y la coordinación física?

c/o Departamento de Estado

*¡Arriba la genética!—G.D.

Hace tres años, mi suegra me regaló su libro *Cómo enseñar a leer a su bebé*. Ese libro a tenido mucho uso y las tarjetas parecen haber ido a la guerra.

Mike de 14, está en el Programa para Dotados y Talentosos, pasó a Computación III sin educación oficial y su velocidad de lectura es de cerca de ochocientas palabras por minuto.

Heather, de 12, califica "únicamente" con 89 en los tests ITBS, pero con 97 en vocabulario. Sobresale en el piano y lo toca en las reuniones juveniles de la Iglesia. También toca la viola y la flauta dulce. Siento que le he allanado la experiencia de leer al enseñarle yo misma.

Debi, de 10, también está en el Programa para Dotados y Talentosos, le gusta el arte y lo único que la separa de un libro es la barra de ejercicios.

Crystal, de 8, es demasiado pequeña para el Programa para Dotados y Talentosos, pero calificó 99 en el ITBS y para compensarla está aprendiendo latín.

A Sterling, de 6, le encantan los libros de Henry Huggins, los clásicos ilustrados y cualquier libro que esté a su alcance. El año pasado leyó hojas y hojas.

Nuestra última hija llegará el mes entrante.

Muchas gracias por su trabajo. Su primer libro ha creado un mundo de diferencia.

Cedar Rapid, Iowa

Fui una de las primeras madres "Doman". En 1965 estaba embarazada sin entusiasmo hasta que, en marzo y abril del mismo año, leí un artículo en *Ladies Home Journal* titulado "Cómo enseñar a su bebé a ser un genio". ¡Cuando leí el artículo fue como el Rayo Verde de la Revelación! Me abrió un horizonte vasto y luminoso y difícilmente podía esperar el día en que pudiese conducir a mi criatura por este sendero maravilloso. Disfruté haciendo las tarjetas de la lectura, lo que me tranquilizó. Durante los primeros cuatro años de vida de Heather nos cambiámos de los Estados Unidos a Chile, Perú y Brasil; y a dondequiera que íbamos, llevábamos cartulina blanca y plumas rojas de fieltro. Cuando los retrasos en los embarques retardaban las cosas, escribíamos las palabras en las ventanas empañadas o en la arena de las playas; y Heather era bilingüe (inglés y español), aprendió después el francés al empezar el primer grado en Canadá. ¡Cómo me hubiese gustado que, en ese entonces, también hubiéramos tenido el programa de matemáticas!

Hace casi sesenta años, fui a la escuela en Inglaterra y mi esposo estudió en Canadá; ninguno de los dos recordamos un niño que no pudiese leer, indistintamente de su posición económica. Aun en los hogares más humildes (económicamente) había una vieja tía solterona o abuelita que consideraba un orgullo enseñarle las "letras", como decían entonces, a sus criaturas. Hace poco, mi esposo tuvo su primera experiencia con un joven quien a sus veinte y medio años y egresado de preparatoria, no sabía leer ni escribir. En verdad, cuando esté ante mi "Creador" y tenga que dar cuentas, podré decir que mi mayor contribución fue enseñar a leer a mi hijo.

Por favor, envíeme duplicados de las copias de la dirección al rubro; y lo mismo para los padres de Christopher.

Sinceramente les deseo lo mejor para la continuación de los trabajos de los Institutos, y mi agradecimiento de corazón por abrir a la niñez un mundo maravilloso.

Honolulu, Hawaii

10
Sobre la alegría de enseñar y de aprender

Creo que no nos llegamos a conocer realmente sino a partir de que jugamos juntos a aprender a leer

—MUCHAS, MUCHAS MADRES

Durante muchas generaciones, los abuelos le han aconsejado a sus hijos que disfruten de sus propios hijos porque crecen y se van casi sin darse cuenta. Como muchas advertencias que pasan de generación en generación rara vez la valoramos antes de sufrir las consecuencias. Al sufrir las consecuencias, por supuesto, ya es demasiado tarde.

Si es verdad que los padres de niños con lesión cerebral tienen enormes problemas (y ciertamente los tienen) es igualmente que tienen algunas ventajas sobre los padres de niños sanos. No es menos importante el que tienen una relación muy estrecha con sus hijos. Por su naturaleza, la enfermedad es a veces angustiante, pero también tiene sus grandes ventajas.

Hace poco, durante un curso, estábamos hablando con padres de niños sanos sobre cómo enseñar a leer a los bebés y dijimos casualmente: "y otra excelente razón para enseñar a leer al bebé es que en la íntima relación que ello requiere, experimentarán mucha de la alegría de que disfrutan los padres de los niños con lesión cerebral".

No fue sino varias oraciones después cuando nos dimos cuenta de las miradas interrogantes que provocó el comentario.

No sorprende que los padres de criaturas sanas no estén conscientes de que los padres de niños con lesión cerebral gozan de algunas ventajas y de que no todo son problemas. Sin embargo, si sorprende que la gran mayoría hayamos perdido la relación íntima y constante con nuestros hijos, tan importante para el futuro de la criatura y que puede ser tan agradable para nosotros.

Las presiones de nuestra sociedad y de nuestra cultura nos han robado esto tan silenciosamente que no nos hemos dado cuenta de que lo hemos perdido, o tal vez ni siquiera sabemos que existió.

Sí existió, y vale la pena reconquistarlo. Una de las maneras más satisfactorias de reconquistar esta alegre relación es enseñando a leer a nuestros bebés.

Ahora que los lectores saben cómo hacerlo, terminemos con algunas recomendaciones finales: lo que debemos y lo que no debemos hacer.

Empecemos con lo que no debemos hacer.

No aburra a su bebé.

Es un pecado capital. Recuerde que el niño de dos años podría estar aprendiendo portugués y francés al mismo tiempo que el español que está aprendiendo también. Por lo tanto, no lo aburra con trivialidades y tonterías. Hay tres maneras de aburrirlo. Evítelas como la plaga.

a. *Ir demasiado rápido* lo aburrirá, porque si va muy rápido no aprenderá y él quiere aprender. (Esta es la manera más improbable de aburrirlo, pues muy pocas personas van demasiado rápido.)

b. *Ir demasiado lento* lo aburrirá, porque los niños aprenden a un ritmo sorprendente. Muchas personas cometen este pecado debido a su deseo de asegurarse de que el niño conoce el material.

c. *Ponerlo demasiado a prueba* es el pecado más probable y, con toda seguridad, lo aburrirá. A los niños les encanta aprender pero odian que los examinen. Esta es la principal razón de toda la conmoción después de la prueba.

Hay dos factores que provocan el exceso de pruebas. El primero es el padre naturalmente orgulloso que desea presumir las habilidades de la criatura ante los vecinos, primos, abuelos y demás. El segundo factor es el deseo del padre de estar *seguro* de que su hijo lee cada palabra perfectamente bien antes de llegar al siguiente paso. Recuerde que no le está aplicando a su hijo un examen de admisión para la universidad; sencillamente está dándole la oportunidad de leer. No hay que probarle al mundo que el niño puede leer. (Lo probará por sí mismo después.) Los padres son los *únicos* que necesitan estar seguros y tienen una capacidad especial para saber qué saben sus hijos y qué no. Confíe en esa capacidad y en su propio juicio. Esa capacidad especial está compuesta de sentimiento e inteligencia a partes iguales; y cuando ambas cosas están en total acuerdo, uno obtiene casi invariablemente un veredicto acertado.

Nunca olvidaremos una conversación con un destacado neurocirujano pediatra que discutía el caso de una criatura con lesión cerebral severa. El neurocirujano era un hombre que basaba todos sus instintos en frías pruebas científicas.

Se refería a un joven de quince años con lesión cerebral severa, paralizado y mudo, a quien habían diagnosticado como idiota. El doctor estaba enojadísimo. "Miren a esta criatura", insistía. "La han diagnosticado como idiota únicamente porque parece idiota, actúa como idiota y las pruebas de laboratorio indican que es un idiota. Cualquiera debería poder ver que no es un idiota."

Se produjo un silencio largo embarazoso y un poco atemorizado entre los residentes, internos, enfermeras y terapeutas que formaban el equipo del neurocirujano. Finalmente, un residente más valiente que los demás, preguntó: "Pero, doctor, si todo indica que este joven es idiota, ¿cómo sabe usted que no lo es?"

"¡Santo Cielo," gritó el científico cirujano, "mírelo a los ojos, hombre, no necesita usted ninguna capacitación especial para ver la inteligencia que brilla en ellos!"

Un año después tuvimos el privilegio de ver caminar, hablar y leer a ese joven ante el mismo grupo de personas.

Aparte de los tests normales existen métodos precisos para que los padres sepan qué saben sus hijos. Si usted repite con demasiada frecuencia una prueba que el niño ya pasó, se aburrirá y reaccionará diciendo que no lo sabe o dando una respuesta absurda. Si usted le muestra al niño la palabra "cabello" y pregunta con demasiada frecuencia qué es, puede que le conteste que es elefante. Cuando contesta de esta manera, su hijo lo está corrigiendo a usted con un reproche. Hágale caso.

No presione al niño

No le meta la lectura a fuerzas. No se *empeñe* en enseñarle a leer. No tenga miedo de fracasar. (¿Cómo puede fracasar? Si únicamente aprende tres palabras será mejor que si no aprende ninguna.) *No* le dé la oportunidad de aprender si cualquiera de los dos no se siente dispuesto a hacerlo. Enseñar a leer a un bebé es algo muy positivo y nunca debe hacerlo negativo. Si en algún momento la criatura no quiere jugar, guarde todo durante una semana más o menos. Recuerde que no tiene absolutamente nada que perder y que lleva todas las de ganar.

No esté tenso

Si usted no está tranquilo, no juegue tratando de ocultar la tensión. Una criatura es el instrumento más sensible que se pueda imaginar. Sabrá que está tenso y usted le transmitirá sutilmente algo desagradable. Es mucho mejor perder un día o una semana. Nunca trate de engañar a la criatura. No lo conseguirá.

No enseñe primero el alfabeto

A menos que el niño ya haya aprendido el alfabeto, no se lo enseñe sino después de que haya terminado su primer libro. Si se lo enseña primero, lo hará un lector lento que se fijará en las letras y no en las palabras. Recuerde que las palabras y no las letras son las unidades básicas del lenguaje. Si ya sabe el alfabeto aun puede enseñarlo a leer. Los niños son sumamente flexibles.

Eso resume casi todo lo que usted no debe hacer.

Ahora veamos lo que debe hacer, porque es todavía más importante.

Sea alegre

Ya dijimos en este libro que miles de padres y científicos han enseñado a leer a los bebés y que los resultados han sido espléndidos.

Hemos leído sobre estas personas, hemos tenido correspondencia con ellas y hemos hablado con muchas. Hemos descubierto que los métodos que usan son muy variados. Han usado materiales que van desde lápiz y papel hasta máquinas científicas complejas que cuestan millones de dólares. Sin embargo, y es sumamente significativo, todos los métodos que hemos conocido tenían tres cosas importantísimas en común.

   a. Todos los métodos usados para enseñar a leer a los bebés tuvieron éxito
   b. Todos usaron letras grandes.
   c. Todos enfatizaron la necesidad de sentir y expresar alegría durante la aplicación del método.

Los primeros dos puntos no nos sorprendieron en absoluto, pero el tercero nos dejó atónitos. Debemos recordar que la gran cantidad de personas que enseñaban a leer a los bebés no se conocían entre sí y que frecuentemente pertenecían a generaciones diferentes.

No es nada más una coincidencia que todas llegasen a la conclusión de que una criatura debe ser recompensada por su éxito con alabanzas pródigas. Hubiesen tenido que llegar a esa conclusión tarde o temprano.

Lo que es verdaderamente sorprendente es que las personas que trabajaban en 1914, 1918, 1962, 1963, y durante épocas y lugares diametralmente opuestos, hubiesen llegado a la conclusión de que esta actitud debía resumirse en una misma palabra: *alegría*.

Un padre tendrá tanto éxito como sea la alegría de su actitud al enseñar a leer a su criatura.

Tuve la tentación de titular este último capítulo "Las rubias aceleradas" y esto tiene una historia breve e importante.

A través de los años, en los Institutos hemos adquirido un gran respeto por las madres. Como la mayoría de las personas, hemos cometido el error de hacer generalizaciones demasiado a la libre y, por lo tanto, hemos dividido, por lo menos por conveniencia, a miles de madres con las que hemos tenido el privilegio de tratar, en dos categorías. La primera categoría es un grupo relativamente pequeño de madres intelectuales, sumamente leídas, muy calmadas, muy calladas y, generalmente, aunque no invariablemente, muy inteligentes. Hemos denominado a este grupo "las intelectuales".

El segundo grupo es mucho mayor e incluye a casi todas las demás. Si bien estas mujeres frecuentemente son muy inteligentes, son mucho menos intelectuales y mucho más entusiastas que las primeras. A este grupo de madres lo hemos llamado "Las rubias aceleradas", nombre que refleja más su entusiasmo que el color de su cabello o que su inteligencia. Como todas las generalizaciones, la expresada arriba es falsa, pero sirve para hacer una clasificación rápida.

Cuando por vez primera nos dimos cuenta de que las madres podían enseñar a leer a sus hijitos y que eso era algo excelente nos dijimos: "Esperen a que nuestras madres escuchen esto." Previmos correctamente que todas nuestras madres estarían encantadas y que emprenderían esta tarea con entusiasmo.

Llegamos a la conclusión de que la gran mayoría de las madres tendría éxito al enseñar a leer a sus criaturas , pero supusimos que el pequeño grupo de intelectuales tendría más éxito que "las rubias aceleradas".

Cuando empezaron a llegar los primeros resultados de los experimentos, sucedió casi exactamente lo contrario de lo que habíamos supuesto. Todos los resultados posteriores confirmaron y reconfirmaron nuestros primeros hallazgos.

Todas las madres habían tenido más éxito de lo que esperábamos, pero "las rubias aceleradas" superaban a las intelectuales, y entre más acelerada era la madre, más lograba.

Cuando analizamos los resultados, observamos el proceso, escuchamos a la madre y lo pensamos un poco, los motivos fueron evidentes.

Cuando la madre tranquila y seria pedía a su criatura

que leyese una palabra o una oración, y la criatura lo hacía bien, la madre intelectual decía: "espléndido, María, ahora bien, ¿cuál es la siguiente palabra?"

Por el otro lado, las madres que trataban a su criatura con menos intelectualidad eran mucho más propensas a gritar: "¡Bravo! ¡Qué bien!", cuando su bebé tenía éxito. Estas eran las madres que demostraban a través de la voz, la actitud y la conmoción, su deleite por el éxito de la criatura.

Nuevamente, la repuesta era sencilla. Los pequeños comprenden, aprecian y prefieren mucho más un "¡Bravo!" que las palabras de elogio cuidadosamente escogidas. Las criaturas buscan las celebraciones así es que denles lo que quieren. Se lo merecen, y ustedes también.

Hay muchas cosas que los padres *debemos* hacer por nuestros hijos. Debemos resolver todos sus problemas, los ocasionales problemas grandes y graves y la infinidad de problemas pequeños. Los niños y nosotros tenemos derecho a un poco de alegría y eso es justamente lo que es enseñarles a leer: una alegría.

Pero si la idea de enseñar a leer a su criatura no la convence, no lo haga. Nadie debe enseñar a leer a su criatura por la única y exclusiva razón de estar a la altura del vecino. Si así es como se siente, será una mala maestra. Si desea hacerlo, hágalo porque desea hacerlo: ésa es la mejor razón.

Si debemos hacernos cargo de todos los problemas de nuestros hijos, entonces también debemos disfrutar las satisfacciones que ello implica en vez de pasar esas oportunidades de ser felices a personas extrañas. Es un gran privilegio abrirle a una criatura la puerta que encierra todas las doradas palabras de la emoción, el esplendor y la maravilla que contiene los libros de nuestra lengua. Es demasiado bueno para dejárselo a un extraño. Ese gozoso privilegio debe estar reservado para mamá y papá.

Use su ingenio

Hace mucho tiempo aprendimos que si se les dice a las madres cuál es el objetivo de cualquier proyecto relacionado con sus hijos, y si después se les dice en general cómo debe hacerse, puede uno dejar de preocuparse por ello en ese mismo instante. Los padres son sumamente creadores y, siempre y cuando sepan cuáles son los límites, con frecuencia inventan mejores métodos que los que se les han dicho que usen.

Todos los niños comparten muchas características con los demás niños (y, entre ellas, principalmente la capacidad para aprender a leer a edad muy temprana), pero todo niño es también un ser mucho muy individual. Es el producto de su familia, su modo de vida y su hogar. Debido a que son todos diferentes, hay muchos jueguitos que mamá puede inventar para hacer la enseñanza de la lectura más divertida para su criatura.

Obedezca las reglas, pero anímese y agregue lo que usted sabe que funcionará mejor con su criatura. No tenga miedo de salirse del marco de normas que hemos expresado en este libro.

Responda todas las preguntas de su hijo

Tendrá miles de preguntas. Contéstelas con seriedad y con la mayor precisión. Abrió para él una gran puerta al enseñarle a leer. No se sorprenda de la gran cantidad de cosas que le interesarán. La pregunta más frecuente que escuchará desde ahora es: "¿Qué significa esta palabra?" Así es como aprenderá a leer todos los libros de hoy en adelante. Siempre dígale lo que significa esa palabra. Su vocabulario básico de lectura crecerá a un ritmo muy rápido de lectura si lo hace.

Déle material que valga la pena leer

Hay tantas cosas excelentes para leer que no debe haber tiempo para leer basura.

Tal vez lo más importante de todo sea que la lectura le da la oportunidad de pasar más tiempo en contacto personal, estrecho e interesante con su criatura. Aproveche cada oportunidad para estar con su hijo. La vida moderna tiende a separar a las madres de sus hijos. He aquí la oportunidad perfecta para estar juntos. El amor, respeto y admiración recíprocos que crecerán a través de dicho contacto, valen muchas, muchas veces más que las pequeñas cantidades de tiempo que tendrá que invertir.

Parece que vale la pena terminar con un pronóstico breve sobre lo que todo esto puede significar en el futuro.

A lo largo de la historia, el hombre ha soñado con dos cosas. El primero de estos sueños, y el más sencillo, ha sido cambiar el mundo para mejorarlo. Hemos tenido un éxito fantástico: al comenzar este siglo, el hombre no podía viajar a más de ciento cincuenta kilómetros por hora. Hoy puede volar a través del espacio a más de veintisiete mil kilómetros por hora. Hemos elaborado medicamentos milagrosos que duplicarán el promedio de vida del hombre. Hemos aprendido a proyectar nuestras voces y nuestras imágenes por radio y televisión. Nuestras construcciones son verdaderos milagros de altura, belleza, calidez y comodidad. Hemos cambiado el mundo a nuestro alrededor de la manera más extraordinaria.

¿Pero, y el hombre en sí? Vive más tiempo porque ha inventado mejores medicamentos. Crece más alto porque los medios de transporte que ha inventado le traen mayor variedad de alimentos, y por lo tanto, de nutrición, de lugares lejanos.

¿Pero es mejor el hombre en sí? ¿Hay hombres con mayor genio creador que Da Vinci? ¿Hay mejores escritores que Shakespeare? ¿Hay hombres con mayor visión y conocimiento más amplio que Franklin y que Jefferson?

Desde tiempos inmemoriales, ha habido hombres que persiguen el segundo sueño. Durante siglos, los hombres se han atrevido a preguntar: "¿Pero, y el hombre?" Conforme el mundo que nos rodea se hace más complejo, necesitamos hombres nuevos, mejores y más sabios.

Por necesidad, el hombre se ha hecho más especializado y limitado. Ya no hay tiempo para saberlo todo. Sin embargo, debemos encontrar la manera de ponernos a la altura de la situación, de brindar a más personas la oportunidad de obtener la gran cantidad de conocimientos que el hombre ha acumulado.

No podemos resolver este problema asistiendo a la escuela toda la vida. ¿Quién gobernará al mundo o será el proveedor de la casa?

Hacer que el hombre viva más tiempo no resuelve realmente este problema. Si un genio como Einstein hubiese vivido cinco años más, ¿hubiese contribuido mucho más al conocimiento del mundo? No es probable. La longevidad no aumenta la creatividad.

Tal vez ya se le haya ocurrido la respuesta a este problema. Supongamos que se llevaran más niños al gran almacén de conocimientos acumulados por el hombre: cuatro o cinco años antes de lo que ahora se acostumbra. Imagínese el resultado si Einstein hubiese tenido cinco años más de vida creativa. Imagínese qué sucedería si los niños pudiesen empezar a absorber la sabiduría y el conocimiento del mundo, muchos años antes de lo que ahora se les permite.

¿Qué raza y qué futuro no podríamos producir si pudiésemos detener el trágico desperdicio de las vidas de los niños cuando su habilidad para captar todas las formas de lenguaje está en su momento óptimo?

Seguramente ya no es cuestión de saber si todos los niños pueden leer o no; ahora sólo se trata de lo que van a leer.

La pregunta, ahora que se ha dado a conocer el secreto es otra. Ahora que nuestros niños pueden leer y aumentar sus conocimientos, tal vez más allá del sueño más descabellado que alguien haya tenido ¿qué harán con este viejo mundo y cuán tolerantes serán con sus viejos padres quienes, según los parámetros de los niños pueden ser agradables pero tal vez no muy inteligentes?

Hace mucho tiempo se dijo, y se dijo sabiamente, que la pluma es más poderosa que la espada. Debemos creer que el conocimiento conduce a una comprensión mejor y por ello a un bien más grande, mientras que la ignorancia conduce inevitablemente al mal.

Los pequeños han empezado a leer y por lo tanto a incrementar su conocimiento, y si este libro conduce a un sólo niño a leer antes y mejor, entonces habrá sido digno del esfuerzo. ¿Quién puede predecir lo que otro niño superior pueda significar para el mundo? ¿Quién puede decir lo que al final sumará el beneficio que significará para el hombre esta avalancha que ha iniciado esta revolución pacífica?

Agradecimientos

Nadie escribe un libro totalmente solo, tras cada obra hay una gran fila de personas que lo hacen posible. En el pasado inmediato estas personas están claramente en la mente, pero conforme la fila retrocede en el tiempo hacia el pasado, la imagen de aquellos que aportaron algo se vuelve más oscura y, finalmente, se oscurece del todo por la niebla del tiempo. Otros se van sin honras, pues muchos de los que han aportado una idea se han ocultado en la oscuridad total.

Seguramente la ascendencia lineal de este trabajo regresa a un tiempo oscuramente vislumbrado y debe incluir a quienes contribuyeron con una oración o idea aislada que ayudó a completar el rompecabezas. Finalmente, debe incluir a una multitud de madres que sabían, con el corazón y con la cabeza, que sus hijos podían hacer más de lo que el mundo creía posible.

En resumen, además de aquellos a quienes agradezco aquí individualmente, deseo agradecer a todos aquellos que a lo largo de la historia han creído apasionadamente que los niños eran muy superiores a la imagen que los adultos siempre habíamos tenido de ellos.

Entre estos muchos agradezco a las siguientes personas:

El doctor Temple Fay, decano de neurocirujanos, quien tenía una curiosidad enorme y una habilidad única para preguntarse si las "verdades" aceptadas eran o no ciertas, y quien primero nos entusiasmo.

Mary Blackburn, eterna secretaria, que vivió para la Clínica de Niños y, se puede decir, que murió por ella.

El doctor Eugene Spitz, neurocirujano pediatra, quien cree que "no hay nada más radical que ver morir a un niño, sabiendo que va a morir y no hacer nada al respecto". El ha hecho mucho al respecto.

El Doctor Robert Doman, fisiatra pediatra y director médico de los Institutos para el Logro del Potencial Humano, quien quiso que consideráramos a cada niño como un individuo.

El doctor Raymundo Veras, fisiatra de Brasil, quien regresó para enseñar a los maestros.

El doctor Carl Delacato, director del Instituto de Disfunción en la Lectura, quien nos tuvo siempre pendientes de los niños.

El doctor Edward B. LeWinn, director del Instituto de investigación, quien insistió en que tomásemos en cuenta el fluido encefalorraquídeo para encontrar la evidencia que necesitábamos.

Florence Scott, R.N. , quien cuidó y se preocupó tanto por los niños, a quienes hablaba de manera tan singular.

Lindley Boyer, director del Centro de Rehabilitación en Filadelfia, que nunca dejó de animarnos para que hiciéramos nuestro trabajo.

Greta Erdtmann, secretaria ejecutiva, quien me permitía aislarme cuando era necesario.

Betty Milliner, exigente en su trabajo.

Tras este equipo, están todos aquellos que se preocuparon y nos apoyaron durante los días de oscuridad y de búsqueda.

Helen Clarke, Herbert Thiel, Dora Kline Valentine, Gene Brog, Lloyd Well, Frank McCormick, Robert Magee, Hugh Clarke, Gilbert Clarke, Harry Valentine, Edward y Dorothy Cassard, el general Arthur Kemp, Hannah Cooke, Frank Cliffe, Chatham Wheat, Anthony Flores, Trimble Brown, el asistente de Pennsylvania Thomas R. White, Jr., Edward y Pat O'Donnell, Theodore Donahue, Harold McCuen, John y Mary Berley, Claude Cheek, Martin Palmer, Signe Brunnstromm, Agnes Seymour, Betty Marsh, el doctor Walter Mckinney, Judge Summerill, George Leyrer, Raymon Schwartz, Ralph Rosenberg, Charlotte Kornbluh, Alan Emlen, David Taylor, Brooke Simcox, William Reimer, Emily Abell, Doris Magee, Joseph Barnes, Norma Hoffman, Tom Sidney Carroll, Bea Lipp, Miles y Stuart Valentine, Morton Berman, John Gurt y multitud más.

El Consejo Consultivo Médico que, sin excepción alguna apoyó el trabajo. Los siguientes médicos que colaboraron y apoyaron esta obra de todo corazón:

Los doctores Thaine Billingsley, Charles DeLone, Paul Dunn, David Lozow, William Ober, Robert Tentler, Myron Segal y Richard Darnell.

Mis hijos, Bruce, Janet y Douglas, quienes participaron materialmente en este libro, y me sirvieron de inspiración.

Robert Loomis, mi editor, quien fue paciente y sutil conmigo.

Por último, agradezco a todos esos maestros excelentes, los niños, quienes me han enseñado casi todo, particularmente Tommy Lunski y Walter Rice.

Más información acerca de Cómo enseñar a leer a su bebé

Catálogos de Cómo enseñar a su bebé:
  Catálogo The Better Baby
  Los Programas de los Institutos
Materiales:
  Kit de Cómo enseñar a leer a su bebé
  Kit de Cómo enseñar matemáticas a su bebé
Videos de la Revolución Pacífica:
  Cómo enseñar a leer a su bebé
  Cómo enseñar a su bebé conocimientos enciclopédicos
  Cómo enseñar matemáticas a su bebé
Más libros para niños:
  The Life and Times of Inigo McKenzie Series
  Nose is Not Toes
Cursos:
  Cómo multiplicar la inteligencia de su bebé
  Qué hacer con su niño con lesión cerebral

Para mayor información sobre los cursos y los materiales, llame o escriba a:

Los Institutos para el Logro del Potencial Humano
Oficina Hispanoamericana, A.C.

- **En el D.F.:**
  Teléfono: 56-32-25-70 y teléfono / fax: 56-32-25-71
  E-mail: mexicocity@iahp.org
- **En Aguascalientes, Ags.:**
  Guadalupe González # 101, Col. U. Ganadera,
  Aguascalientes, Aguascalientes, C.P. 20130
  Teléfono (449) 9960944, Fax (449) 9960945
  E-mail: hispanoamerica@iahp.org

The Better Baby Press-NORTEAMÉRICA
  8801 Stenton Avenue, Philadelphia, PA 19118 USA
  Tel: 1-800-344-MOTHER
  1-215-233-2050
Para los padres de familia españoles:
The Institutes for the Achievement of Human Potential-EUROPA
  Via delle Colline, 6
  56043 Fauglia (PI), ITALIA
  Tel: 050 650 237 • Fax: 050 659 081

Acerca del autor

Glenn Doman se graduó en 1940 en la Universidad de Pennsylvania y empezó a explorar el campo del desarrollo del cerebro infantil, labor que fue interrumpida por su servicio distinguido como oficial combatiente de infantería en la Segunda Guerra Mundial. Fundó los Institutos para el Logro del Potencial Humano en 1955. A principios de los años sesenta, el trabajo de los Institutos con niños con lesión cerebral, mundialmente famoso, condujo a descubrimientos vitales sobre el crecimiento y el desarrollo de los niños sanos. *Cómo enseñar a leer a su bebé* fue publicado en 1964. Fue el primer libro de la Serie de la Revolución Pacífica. Siguió: *Qué hacer con su niño con lesión cerebral*. Hay ahora seis libros de esta serie; el más reciente es *Cómo enseñar a su bebé a ser físicamente superior*.

Su tesoro más preciado son más de cien mil cartas de madres de todo el mundo narrando la alegría que experimentaron al enseñar a leer a sus bebés.

Entre otros honores de muchas naciones, fue nombrado Caballero por el gobierno brasileño en honor a su trabajo distinguido en favor de los niños de todo el mundo.